ひとり暮らしのロンドン

岩野礼子

祥伝社黄金文庫

はじめに

この本は、一九九三年に『ロンドンひとり暮らし術』（晶文社）として出版された本の文庫化である。

あれから七年、私はまだロンドンに暮らしている。幸か不幸か、いまだにひとり暮らしではあるが、この街で暮らすうちほんとうの自分を見つけ、人生のテーマを見つけ、貴重な友人たちと出会うことができた。

ここに私のホームがある、といまでは感じている。日本にルーツがあって、イギリスにホームがある暮らしを、しあわせだと思う。

むろん、日々の暮らしというのはいいことばかりではなく、いやなことも落ち込むこともあるけれど、自分がいるべきところに存在している、と確信できることが、このしあわせ感の要因にちがいない。

ロンドンにやってきたのが八九年の八月のこと。あれから、この国はどう変わったか、としばし思いをめぐらしてみる。

当時、日本がバブルに沸《わ》いており、いっぽうのイギリスは不況だったのが、いまではまさかの逆転をして、物価もこちらのほうに割高感が出てきたこと。

何かと話題のタネにされていたダイアナ妃が交通事故で亡くなったこと。ウィリアム王子がいつのまにか故ダイアナ妃によく似た青年になり、国民的アイドルになっていること。

長年政権を取っていた保守党に代わって、若いトニー・ブレア率いる新生労働党が政権を取り、黄昏《たそがれ》といわれていた国に「やる気」を吹き込みはじめたこと。

ファッションや音楽などの発信地として、ロンドンがますます脚光を浴びるようになったこと。

それから、レストランの質が著しく向上してきたこと！　スシがヘルシーでおしゃれな食べ物としてすっかり定着したこと。

ミレニアムを迎えて、ミレニアムドームとロンドンアイという大観覧車が新登場したこと。

などなど挙げていくと、いくらでも出てきそうだ。

でも、何よりもいちばん変わったのは、私自身の心のあり方かもしれない。いや、変わったというより、木にたとえていうと背丈が伸び枝葉を伸ばし、いっぽうで大地に根を下ろしはじめたのだと思う。

この本に現われているかつての私は、崖っぷちに立ってせっぱつまりながらも地面から離れず、自分の目で物事や人を見て率直に表現している。それだけに、新鮮で尖《とが》って痛いようなところもある、と思う。

あれからだいぶ精神的に丸みを帯びて、余裕も出てきたけれど、初心を忘れないためにも、この本はおばあさんになってもときどき読み返したい。

二〇〇〇年三月

ロンドンにて　岩野礼子《いわのれいこ》

ひとり暮らしのロンドン＊目次

PART 1

ロンドンひとり暮らし

PART 2

再び の学生生活

PART 3

春夏の楽しみ方

PART 4

秋冬の楽しみ方

PART 5

ロンドン人間観察

PART 6

友情術&恋愛術

●イラスト＋写真――――岩野礼子
●編集協力――――――（株）元気工房

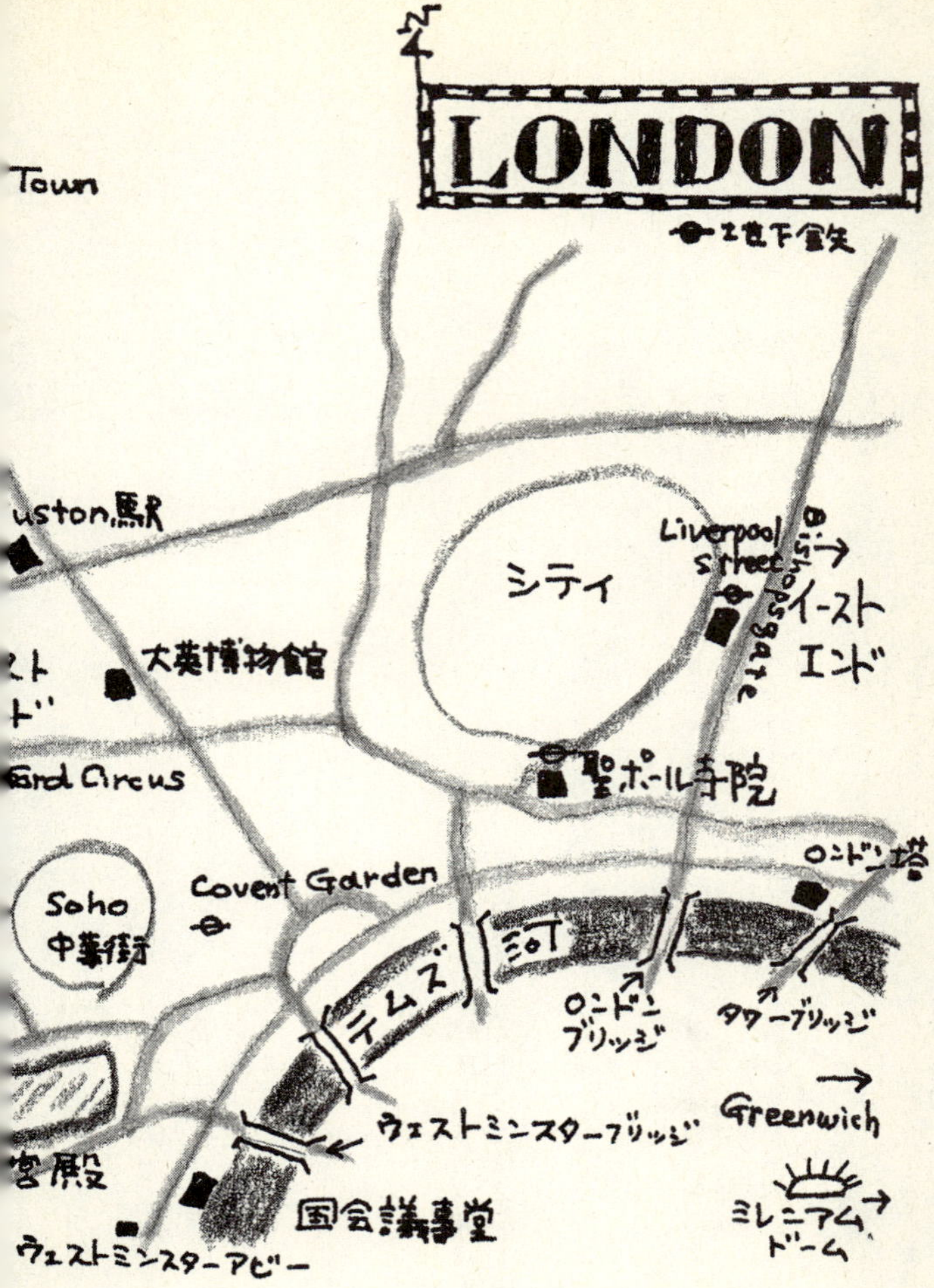
LONDON
地下鉄
Town
uston駅
シティ
Liverpool Street
Bishopsgate
イースト エンド
大英博物館
ord Circus
聖ポール寺院
ロンドン塔
Covent Garden
Soho 中華街
テムズ河
ロンドンブリッジ
タワーブリッジ
Greenwich
ウェストミンスターブリッジ
宮殿
国会議事堂
ウェストミンスターアビー
ミレニアムドーム

ハムステッド
ヒース
Cam
Hampstead
フロイトの家
Adelaide Road
プリムローズヒル
Swiss
Cottage
リージェンツ
パーク
シャーロック・
ホームズ博物館
Little Venice
マダム・タッソー
Marylebone Road
Oxford Stre
Baker Street
Regents
New Bond Street
ハイドパーク
サウスケンジントン
バッキン
ヴィクトリア&アルバート博物館

プロローグ――旅立ちの日

大人になり年を重ねていくことは、世の中の中心は自分ではないこと、欲しくても手に入れられないものがあると思い知り、あきらめること。だけど、ほんとうに好きなことなら、長く続けて人が何といおうとあきらめないこと、なんだと思うようになった。

私がロンドンに住んで、美術学校に通うことになったのも、あきらめて、あきらめなかったから実現したのだ。

あきらめたのは、結婚生活。それにともなう子供や動物のいる家庭への夢、近所のデザイン専門学校へ通い、勉強して彼のデザイン会社にイラストレーター兼デザイナーとして雇ってもらうこと、落ち着いて住める家と安定した収入。

あきらめたくはなかったけど、主婦失格で母親になる資格もなし、かつデザインの才能もなし、とオール落第のハンコをポーンと押されたからには、仕方がない。

私って、そんなにだめな人間だったのか……もう奈落の底。

しかし、同時にすごいことも発見した。落第に近づけば近づくほど強迫観念のように執着していた一連のことには、きれいさっぱり執着する必要がなくなったのだ。それに、一人になってしまえば、もう離婚の心配をする必要もない。期待や願望がなくなれば、怖いものは何もない。隠れて本を読んだり、イラストを描く必要もない。学校へ行こうと、掃除をさぼろうと自由なのである。そうだ、今だったら才能あろうとなかろうと、好きなことが始められる。

そう、私は三三歳にして、乗ったかに見えた人生のレールから落ちこぼれ、肩書をもたない人間になると同時に、自由な私自身を回復してしまったのである。

私にとって、あきらめないことと、好きなことは同義語。小さい頃から好きだったお絵かき、高校時代にのめり込んだイギリスの児童文学とさし絵の世界、ピーター・ラビットの故郷、草木花、犬、季節の移り変わり、そして人、観察すること、感じること、考えること、表現すること、コミュニケーションすること。

いろんな好きなことをひっくるめて、生まれて初めて、まず勉強したい、とも思った。学校時代は一度も思ったことがなかったのに。

実は、おばあさんになったら、好きな児童文学と絵を楽しみながら学び、そして田舎の生活を体験しにイギリスに行きたいと思い続けていたのだが、予定を三七年ほど繰り上げることにした。

それでも、油断するとすぐにへっぴり腰になってしまう自分に、今やらなければ、いつやるんだと叱咤しなければならなかったけど。

出発が冬にさしかかって、さすがに自分の精神状態と同じ、ロンドンの陰鬱な冬に飛び込む勇気がなくて、明るい太陽と、気持ちを暖かくしてくれるようなマチスの色がある南フランスを経由して行くことにした。

そして一九八八年の暮れ、とうとう私は、飛んだ。南仏経由、ロンドンへ。

PART 1

ロンドンひとり暮らし

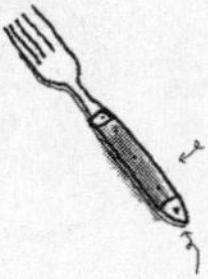

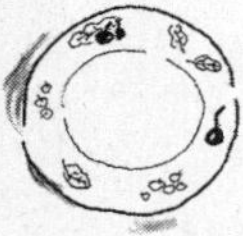

憧れの屋根裏部屋

ロンドンでの最初の住まいは、築百年ぐらいの赤レンガのテラスドハウス——またの名を西洋長屋という——だった。フィンチリー・ロードを一本入った住宅街で、好きな作家のひとりエリナー・ファージョンが貧しい家計を助けるため、お話を書きはじめたときに住んでいた部屋も、すぐ近くにある。

私の部屋は日本式にいうと四階で、昔からあこがれていた屋根裏部屋だった。ベッド・シット（Bed & Sitting room）というタイプで、小さなベッドルームとそれより広い居間、シッティング・ルームがある。居間には簡単なキッチンがついている。バス・トイレは共同。

エレベーターは当然ないけど、借住まいをする人にとってありがたいのは、日本と違って家具がついていること。家具を運ぶ必要がないから、ひとりでさっさと引っ越しできる。とはいえ私は、部屋が決まるまで居候させてもらっていた友人たちに車で送ってもらい、トランクを四階まで運んでもらった。実は彼らに、この家の持ち主アンドレアス氏を紹介してもらい、問い合せまでしてもらったのだ。その頃は英語で電話することさえ恐ろしくて人を頼っていたのだから、今思い出すと、まったく何が独り立ちだと赤面してしまう。ただただ友人たちに感謝だ。

それで、そのとき運良く空いていた一部屋が、この屋根裏部屋だったわけだ。この部屋には、洋服ダンスと椅子、テーブル、冷蔵庫、ちょっとした食器類とカトラリー、ベッドにランプ、毛布や枕、シーツまで揃っている。アンドレアス氏に電話が欲しいかと聞かれたので、「欲しいです、もちろん」と答えたら、親切にもつけてくれた。それに戸棚を開けると、アンティークな花模様のお皿とか、一個用の古いゆで卵鍋とか、面白いものが出てくる楽しみもある。

欲をいえば、床の安っぽいじゅうたんと、大胆すぎる花柄の敷物は取り払って、板張りにしたいし、これも安っぽい化粧板をはったテーブルは、どっしりとしたオークの古い木製のほうがよかったな。これを替えるわけにはいかないけど、代わりにベッドカバーをアンティーク・レースにして、いつも部屋に花を飾り、私もこの部屋に似合う服しか着ない、などと昔風の屋根裏の雰囲気にひたって空想はかけめぐったのだが、結局ケチとぐうたらのせいで、どれも実現せずに終わってしまった。

月の家賃は二三八ポンド（約五九、五〇〇円。一九八九—九〇年当時）だったが、場所と部屋を考えると高くはない。キッチンの湯沸かし器とコンロ、ヒーターはガス。部屋の隅に料金箱があって、五〇ペンスのコインを入れるとガスが来るしくみになっている。夏場なら五〇ペンスで一週間近くもつが、冬はヒーターを使うので、ずっと部屋にいると、一日足らずでガスが切れる。五〇ペンスのコインがないと、お湯も沸かせないことになる。

バスルームのお湯もガス式。こちらは基本料金が二〇ペンスで、コインを入れると湯舟にほどほどのお湯が出てくるしくみになっている。シャワーはついていないが、イギリスではあまり驚くことではない。ちょっと不便ではあったけど、それよりも切実な問題があった。冬寒いのだ。しかもお湯がぬるい。部屋が寒いせいで、お湯が冷めるのが早いと大家さんはいっていたが、ずいぶん後になって、そうではなかったこ

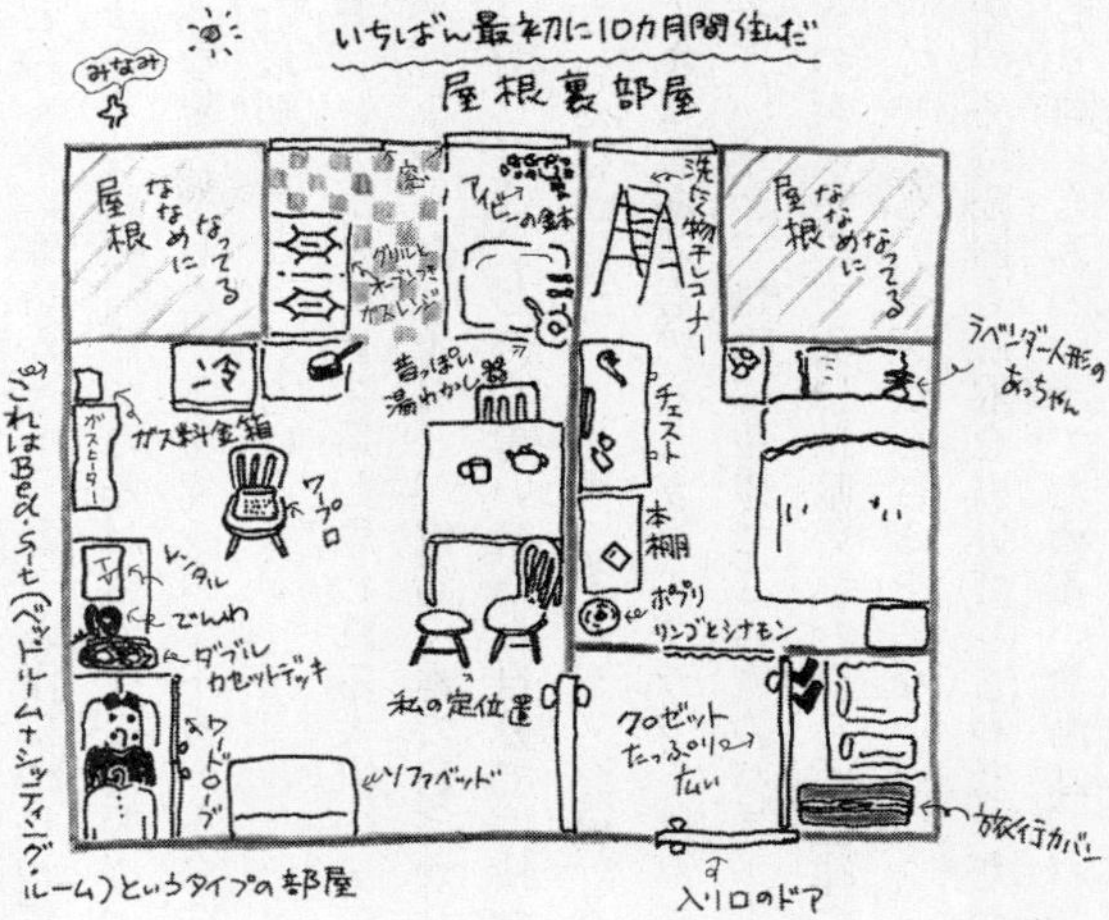
いちばん最初に10カ月間住んだ
屋根裏部屋
みなみ
屋根ななめになってる
窓
アイビーの鉢
グリルとオーブンつきガスレンジ
洗たく物干しコーナー
屋根ななめになってる
ラベンダー人形のあっちゃん
冷
昔っぽい湯わかし器
チェスト
ガス料金箱
ガスヒーター
ワープロ
本棚
TV
レンタル
でんわ
ダブルカセットデッキ
ポプリ リンゴとシナモン
私の定位置
クロゼット たっぷり広い
ワードローブ
ソファベッド
旅行カバン
入り口のドア
これはBed・Sit（ベッドルーム＋シッティング・ルーム）というタイプの部屋

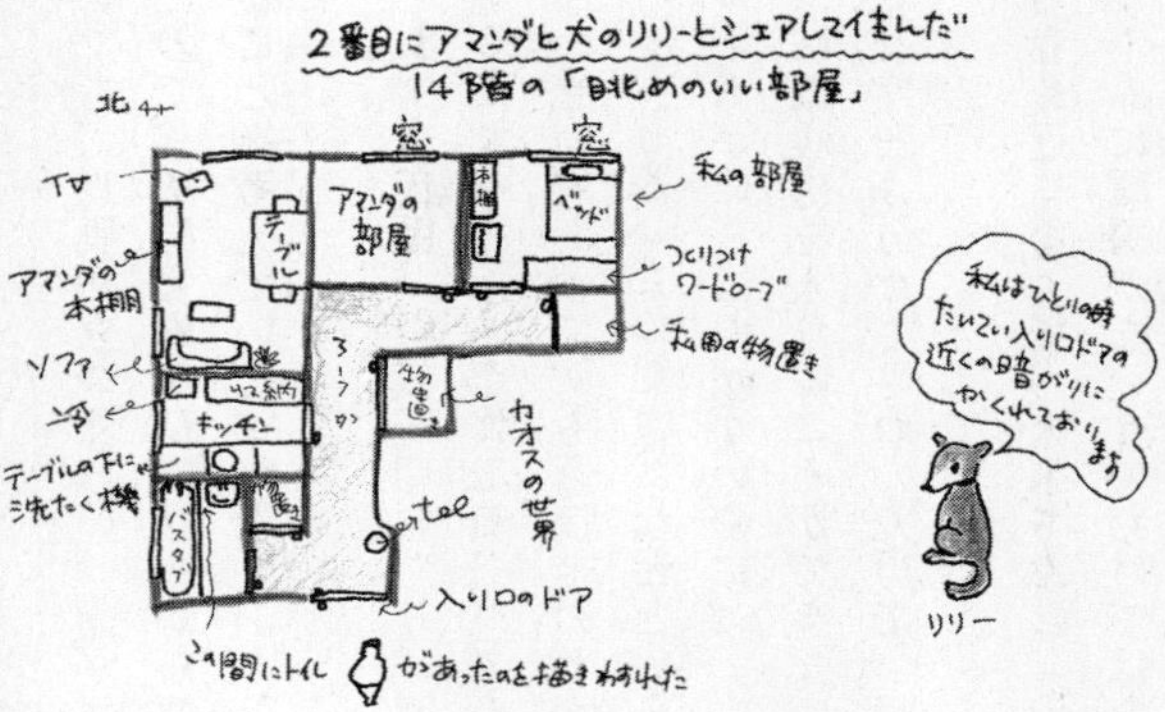
2番目にアマンダと犬のリリーとシェアして住んだ
14階の「眺めのいい部屋」
北
窓
窓
TV
テーブル
アマンダの部屋
本棚
ベッド
私の部屋
つくりつけワードローブ
アマンダの本棚
ソファ
冷
キッチン
私用の物置き
ろうか
物置
カオスの世界
tel
テーブルの下に洗たく機
バスタブ
入り口のドア
この間にトイレがあったのを描きわすれた
私はひとりの時たいてい入り口ドアの近くの暗がりにかくれております
リリー

とがわかった。

どのくらい寒いかというと、お湯につかっていても、鳥肌が立つくらい。歯がガチガチいうくらい。そのころは髪がすごく長かったので、洗髪するたびに、頭から凍りそうな思いをした。本気でショートカットにすることを考えていた。実際ロンドンに来た最初の冬が、いちばん寒かった。

ギリシアかキプロス系と思われる大家のアンドレアス氏は、電気が切れたり、窓が閉まらなかったりすると、電話一本で自宅からすぐに飛んできてくれるが、バスルームに関しては、どのくらい寒いか自分では使わないせいもあって、もうひとつわかってもらえなかった。「元来、冬というのはバスルームも寒いものだよ」などという。そんなことあるものか。友達のフラットはバスルームがいちばん暖かいのに。

そういうと、建物の法律でこの家のバスルームには暖房を入れることができないというのだ。その方面には暗い私だから、法律の二文字をふりかざされただけで、はあそうですかと引きさがらざるをえない。

その冬は四回も風邪を引いてしまった。だから春も近くなって、大家さんに「いやあレイコ、きみのいってたぬるいお湯は、バスルームに暖房がないせいだけではなくて、湯沸かし器の調子が悪かったためだったよ。昨日直ったからね」といわれたときは、ちょっと熱っぽい頭をかかえ、鼻をすすりながら、「まあステキ。たぶんこの冬には、五回目の風邪を引くチャンスはなさそうですね」といや味をいってしまった。それにしても他の住人たちは寒くなかったのだろうか。

家には八部屋あって、他もみんな日本人女性だったのだが（家賃をきちんと払うし静かで文句をいわないという評判が一部にあるようだ。それに内部での防犯のために大家さんは好んで日本人女性に部屋を貸している）、実は数カ月たっても、ほとんど顔を合わせたことがなく、挨拶以上の言葉を交わしたこともほぼない。ロンドンには日本人が何万人もいるのだから、何も日本人というだけでお知り合いになる必要もないけれど。

親切だし、好感をもっている大家さんだけど、そのうちにお父さん的な態度が、ちょっと気になってきた。彼は防犯上の理由と契約に従って、家に男性が泊まることをいやがった。大家さんの言い分もわからないではないけど、だいたい大人に向かって、そんなことをいうこと自体が干渉っぽくてうっとおしいなあ、と思ったりする。

しかし、私にはボーイフレンドができそうもないと踏んだのか、ある部屋の日本人の女のコがボーイフレンドを連れ込んでいたのを発見して、引っ越ししてもらった話などをするようになった。「しかもそれが、見るからに最低の男なんだよ」と真面目に嘆く。まったく父親顔負けだ。私はかろうじて笑いをこらえながら、聞いている。そんなことを嘆くより、二人分の家賃でももらっておけばいいのにと思いながら。

四月も終わりごろになると、窓の外のプラタナスも新しい葉をつけはじめ、赤レンガの家と白い窓枠とのコントラストが、とても美しい季節が始まる。そのころ私は、南向きの窓辺にもたれて外をながめながら、あこがれの屋根裏ひとり暮らしに、そろそろさよならをすることを考え始めていた。

引っ越し

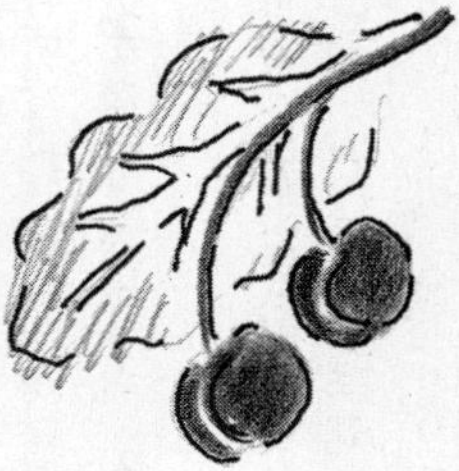

「おおレイコ、きみはカウンシル・フラットがどういう場所か知っているのかね」

愛すべき大家さんアンドレアス氏は、私が引っ越しますといったとき、驚きと心配が入りまじった暗い顔で問いかけてきた。

前日、近所の図書館の掲示板でフラット・メイト（同居人）募集を見つけ、早速電話をし、見にいって同居させてもらうことに決まったばかりだった。そこは、美しいヴィクトリア風赤レンガ建築の私の屋根裏部屋からも、目と鼻の先に見える、二二階建ての醜いコンクリートのビルである。

たいていのロンドンっ子たちが嫌うこの手の高層住宅は、カウンシル・フラットと呼ばれる低所得者向けの公営集合住宅である場合が多い。そして私が引っ越すことになったのも、そのひとつなのだ。

「ロンドンに来て間もない外国人のきみは知らないだろうが、あそこはどうしようもない連中が住む所だよ。家賃が安いだけの理由で引っ越したら、きっと後悔する。それに、このステキな家と部屋から、あんな醜いビルに引っ越すなんて、私なら耐えられないよ」

大袈裟なくらいの反応だ。引っ越しの理由はいくつかあるが、大家さんには経済的な理由しか話していない。もちろんお金の問題は大きい。秋から美術学校の四年コースに入学が決まり、当初一、二年のコースを考えていた私としては、急に資金繰りのことが心配になってきたのだ。

もっと大きな理由は、語学学校に行っていると外国人の友達はできるけど、現地の人たちとは接触があまりないし、住んでいる家の住人は日本人ばかりで、おまけにほとんど顔も合わせないから、なんだかつまらなくって寂しかったこと。せっかくロンドンにいるのに、こういうモラトリアム生活でもないだろうと思いはじめていた。だから、現地の人とフラット・シェアして、現地の社会に一歩足を踏みいれるきっかけをつかみたくて、図書館のお部屋情報をチェックしはじめたのだ。

ところが大家さんのほうは、カウンシル・フラットそのものに、えらく衝撃を受けたようだ。彼のコメントはなおも続く。

「悪いけど、きみのフラット・メイトだって、まともな人間とは思わないな。こういっちゃなんだが、私たちが真面目に働いて納めた税金で、ああいう連中を養ってやってるんだ。彼らの多くは、それを何とも思わず、働く気もないまま、死ぬまで何十年と我々の税金で食っていくんだ」

日頃穏やかなアンドレアス氏とも思えない発言に驚き、その理由を推しはかってみる。たぶんギリシアあたりからの移民であった氏は、たゆまぬ努力と苦労の末に今の財産と暮らしを築いたにちがいない。だから、生活の保護を受け、ある意味では社会に甘えて生きている人たちに、激しい反感をもっているのではないだろうか。

そもそもイギリスで、カウンシル・ハウジングの政策が実行に移されたのは一八五一年。クリスタル・パレスで、この国の景気の良さを見せつけるような万国大博覧会が催されたのと同じ年だ。そしてまたこの年は、イギリスの歴史で初めて、都市人口が農村人口を上回った年でもある。

十八世紀後半に始まった産業革命による技術革新と工場の発達、そして家内工業の衰退から、人口の都市集中が始まったのは教科書どおり。増えた人口のほとんどは、工場労働者とその家族で、彼らが労働者階級を形成した。彼らに対する中産階級というのは、雇い主だったり、教師とか弁護士とか医者とかいった職業の人たち。この階級意識は今もかなり根強く残っているようだ。

当時の労働者は長時間労働と低賃金に苦しみ、大多数はスラム街に住んでいた。それに健康を害したりして職を失えば、ホームレス（浮浪者）になるか、死ぬしかなかった。ジョージ・オーウェルの『パリ・ロンドン放浪記』（岩波文庫）で、このあたりの一端を知ることができるけれど、驚くのは今でもホームレス問題が依然として続いていることだ。

で、その爆発的に増えてしまった都市の人口問題と公害（スモッグや染め物工場からの有害な廃棄物、屠殺場からの悪臭）問題を解決するために始まったのがこのカウンシル・ハウジング政策で、特に戦後にはタワーブロックと呼ばれる高層アパートがどんどん建てられたというわけだ。七六年にはすでにロンドンでの家・アパート数の三二パーセントが、カウンシル・フラットであった。

日本で得ていたイギリス情報のほとんどは、中上流階級指向のものばかりだったから、こういうディケンズの小説みたいな世界が、今に尾を引いていることに、前とは別の角度の興味を引かれ始めてもいた。

というのも、正式に会社から派遣されてロンドンに駐在している日本人には賛成してもらえないかもしれないけど、何の後ろ盾もない、どこの馬の骨だかわからない外国人としてロンドンに十カ月近く暮らして、自分がまぎれもなく白人社会のよそ者で、有色人種であり、マイノリティであるという事実が、小気味いいくらいの現実感をもって、見えてきたことが大きい。これは私にとっては、面白くて貴重な発見だった。

イギリス人の労働者階級とはまた別だが、ロンドンにはひとくくりにマイノリティと呼んでは失礼なくらい、あらゆる異文化をもった、有色人種と白色人種がうようよいるのだ。彼らの多くはすでにイギリス国籍をもっているのかもしれないが、これが私がよそ者であっても、あまり心細くない理由のひとつだろう。

そしてカウンシル・フラットに入居できる条件は、マイノリティ（弱者）であること。具体的には、低収入であること、大家族、有色人種、からだに不自由があって働けない、未婚の親（まあ多くは母親）などである。低収入で有色人種である私がカウンシル・フラットに住んで悪いことがあるだろうか。実はこれは私の勝手な論理で、日本人の学生ビザで滞在している私には、住む権利はない。はっきりいえば、違法行為である。でももう住んでみることに決めちゃったものね。お咎めがあったら、あくまでも知らなかったフリしちゃおう。貸すほうだって、それは承知の上なんだから。

こんな私の思いを、たぶん夢にも考えていないだろうアンドレアス氏は、引っ越しの決心が変わらないことを見てとると、お父さんのようにため息をひとつついていった。

「まあいいだろう。きみが自分の目で見てみることだね。でも、私は予言しておくが、一カ月半もったらいいほうだ。フラット・メイトとその友人を見ててごらん。ひどい常識知らずにちがいないさ。それがわかって引っ越したくなったら、いつでも私に電話しなさい。力になれると思うよ、いいね」

「はい、わかりました。どうもありがとう」といいながら、私はお父さんに嘘をついて悪事を働く娘のような、なあんとなく後ろめたい気持ちと、新しいフラットでの生活への不安とが入り交じってきて、気持ちがぐらぐら落ち着かなくなってきた。

フラット・シェア

恋の終わりには、相手のことを、なによあんなヤツ大嫌いと悪口をいってしまったりするけど、恋には始まりがあるから、終わりもあったりするものだ。私とアマンダの共同生活は結局うまくいかなかったのだが、恋ほど衝撃的ではなかったけれど、とてもいい出会いがあったのだ。

彼女との同居がなければ、今の私はないといえるし、彼女を通して、いろんな人生の局面や、生活や人に接し、考えることができた。でも同居しているときは、しょっちゅう苦情をいわれ、揚げ句にネタにされたんじゃ、彼女も割りが合わないかなあ、なんて思ってしまう。

〈フラット・メイト求む〉
当方三七歳の女性。社会人学生《マチュア・ステューデント》で犬一匹あり。ノンスモーカー、ベジタリアン、男女同権論者《フェミニスト》。個室あり。居間、キッチン、バス・トイレ共有。家賃は週三〇ポンド（約七千五百円）＋電気代と雑費。☎×××—×××× アマンダ

近所の図書館の空き部屋情報コーナーで、アマンダの出した広告が、まっすぐ私の目に入ってきた。

家賃が高過ぎる広告はもちろん、住みたい場所ではないもの、それに判読不可能な悪筆や、家賃などの必要な情報が欠けているものは、同居する人の性格が推し量られるので、どんどん候補からはずしていくのだが、アマンダのは、直感的に「これだ」と思わせるものがあったのだ。

まず、字がきれいで、必要な情報はすべて明記されている。家賃が格段に安い。これは逆に不安要素でもあったが、たぶんカウンシル・フラットだと思ったのだ。実際行って見ればわかるはずだ。もっと興味をひかれたのは、私と歳が近く、しかも社会人学生だということ。おまけに犬がいる。私は犬好きだし、願ってもない条件だとド

キドキしてきた。

次に必要なのはタイミング。もう誰か決まっていれば、どうしようもない。でも、私が直感的にこれだと思ったときは、たいていタイミングも味方してくれるのだ。少なくとも、そう信じている、おめでたい性格の私だが、はたしてこの時も一番だった。電話をして、見にいったのだか、私の三〇分後に二番目の人が来ることになっていた。

電話で話したときのアマンダの声があたたかくて、いい感じだったし、会ったときの印象も好感がもてた。わりに小柄で、カールしたちょっと赤みがかった短い髪とグリーンの大きな瞳で、若く見える。臆病で、知らない人にはほえまくることが後にわかり、私の友人たちには評判の悪かったリリーも、なぜか私を歓迎してくれた。

目に見えるところは、比較的きれいだし、インテリアの趣味をすばやくチェックするが、ハビタ調で嫌いじゃない。ベストではないが(間借り人だからぜいたくはいえない)許容範囲といえる。

ただ「男女同権論者《フェミニスト》」という言葉にひっかかっていた。わざわざ広告に書くようなことかなあって。もしかしたらこの場合レスビアンという意味だったりして、なんて不安にかられて辞書をひきなおしていったのだけど、心配は無用ということがわかった。彼女がシングルマザーで（だからカウンシル・フラットに入居できたのか）、娘が大学に行き、自分も秋から学校で心理学とセラピーを学ぶつもりなので、生活費のためにも娘の部屋を貸すことにした、ということ。彼女はアルバイトでナニー（ベビーシッター）をしている。それにしても三七歳になったばかりで二十歳の娘がいるとは、ちょっとびっくりした。

ほんの二〇分ほど話しただけで、「私はここが気に入ったので、できれば住みたいのですが」というと、何のこだわりもなく「OK、じゃあ決まりね。よろしく」とアマンダはにっこり笑ってくれた。契約書も何もない。おたがいの信頼だけしかない。私はもちろん悪事を働くつもりはないが、そんなにすぐに見も知らぬ外国人を、自宅に住まわせてもいいものだろうか、と私のほうがびっくりしてしまった。

ロンドンで、どこの馬の骨ともわからぬ外国人を自認している私としては、よくこだわりもなく受け入れてくれたものだなあ、とちょっと感動してしまったのだ。

ひとつ意外でおかしかったのは、キッチンの説明をしてくれたおりに、「私はベジタリアンで、肉と甘いものは食べないの。といっても卵、ミルク、チーズや魚はいただくわ。でもあなたが肉料理をしても、匂いのことでクレームをつけたりしないから安心してね」といわれたこと。

最近はヨーロッパでも、ベジタリアンの人にちょくちょく会うけど、私が聞いていたのは、日本人が魚料理をして、こちらの人に魚臭いと嫌がられたという話がほとんどだったから、なんだかおかしかった。元来魚臭い（fishy）という単語には、「いかがわしい」という意味があって、日常でもよくfishyという表現に出会う。

そういうわけで、赤レンガの屋根裏部屋から歩いて三〇秒の二階建てのカウンシル・フラットに引っ越しすることになったのだ。

しかしトランク一個で気軽に、と思っていたらどっこい、ロンドン生活十カ月のうちになぜかギズモのように増殖してしまった有象無象が、運べど運べど湧いてきて、結局のべ五日間、十八往復の末に引っ越しが完了ということになってしまったが。

季節は六月。歩いて三〇秒だし、学校の合い間にのんびり運び、ちょっと汗をかいてはビールを飲み、ポテトクリスプをつまみ、昼寝までしてしまうという、趣味の引っ越し的な気楽さではあったな。

とはいっても最後の荷物を運びいれて、もうここに住むしかないとなると、前の大

14階のキッチンから見える風景。赤っぽいレンガの色と
樹々のコントラストがきれい。

家のアンドレアス氏の予言が、急激に重さをもってのしかかってきた。どうしよう。もう屋根裏部屋には戻れない。アマンダは大丈夫にしても、常識知らずの隣人ばかりだったら……。

ふと十四階の窓から外を見ると、通りを走る車が豆つぶのように小さく見える。めまいがするくらい高いのだった。窓から逃げるわけにも、もういかないのだ。

隣人たち

結論から先にいえば、隣人たちには、まあまあ恵まれたのだ。
ロンドンでありながら、地元の社会とは隔絶された感のあった、静かで孤独な屋根裏部屋から、いっきょに下町風のにぎやかなコミュニティに、私は放り込まれたのである。
そう、社会的地位とか財産にはあまり縁のない二百に近い世帯がひしめく、この二階建てビルは、それだけでひとつの地域共同体、つまりコミュニティになっている、と私はすぐに気づいた。
社会、それも上流社会とか総称としての国家社会の意味をもつソサエティでは、決してない。

しっかりとしたドアで、専有部分《プライバシー》はそれぞれきっちり守っているものの、廊下や入り口のエレベーター・ホールなどの共有部分では、お互いににっこり挨拶を交わし、世間話に花が咲き、ワルガキたちが、大人に叱られているのだった。

ブラック系、インド系、アラブ系やアジア系、それから南や東（?）ヨーロッパ系らしい風貌の人たちもいるが、大多数はイギリス系のようだ。

口に出しては誰もいわないが、ここにいると、「このビルの住民は、みんな仲間だよ」という雰囲気が伝わってきて、私の肩の力をフッと抜いてくれるのだ。

エレベーター・ホールのベンチにたむろして、せっかくのきれいなブロンドの髪もろくろくとかさず、よく肥えたからだをアッパッパーのような服につつみ、大股びらきで井戸端会議をしているおばちゃんたち――私とたいして歳は変わらないかな――を見ると、エレガンスとはほど遠いなあと思う。だけど、「あんた、アマンダんちの日本人だろ。こっちで学校に行ってるのかい。暮らしで困ってることはないかい」といった調子できさくに話しかけられると、ほっとして、うれしくなるのだ。

一方、そういう、どこか突き抜けたあかるさのあるおばちゃんたちと、私の同居人アマンダとその犬は、まったく違っていた。

引っ越した翌日、アマンダの外出と共に、犬のリリーが玄関脇の暗がりにもぐりこみ、帰宅まで出てこないことを発見する。他人が訪れたときの、背中の毛をたてて、震えながらほえる様子といい、普段のおびえた目付きといい、普通ではない。そしてあの食べ物にたいする執着。犬の自閉症ってあるのかしら。しろうとの私には、いい加減な判断を下す権利も能力もないけれど、この犬がもらわれてきたのは、生後二、三週間目といっていたから、不在がちなアマンダから察するに、誰かそばにいてお世話して欲しい頃から留守番させられることが多くて、自閉気味になったのではないだろうか、と思う。もともと気の弱い性質だったのかもしれない。

もうひとつ気になったのは、アマンダがふと、娘が家をはなれた一年前に、子ばなれがつらくて、精神的にひどく不安定で、自分を必要とする何かが必要だったので、犬を飼うことにしたともらしたこと。どうしても私は、犬の挙動を通して、飼い主のその頃の不安定さを、見てしまう。そして、彼女はどの程度立ち直っているのだろうかと、じっと観察している自分に気づくこともある。

これは私のよくない性格だが、観察するのはほとんど質《たち》といえるので、アマンダには悪いがやめることができないでいる。

初期の頃に、「私がいないあいだ、リリーはどうしてる？　おりこうにしてるかしら」と聞かれて、「リリーは、あなたがいないあいだずっと、玄関脇の暗がりにこもったまま出てこないのよ。すごく寂しがってる」

正直に答えたら、アマンダは急に機嫌が悪くなって、返事もせずに行ってしまった。

一方、犬のリリーがきっかけで、同じビルの二階に住むジャンと親しくなった。

彼女は四十代前半で、私たちと同じ間取りに、パートナーと二人の男の子、そして二匹の犬と住んでいる。彼女は何かのセールスを午後からしているが、お昼にリリーを散歩させるアルバイトもしているのだった。自分の犬たちと一緒に散歩させればいいから、一石二鳥かもしれない。

リリーを連れにきたジャンに初めて会ったとき、リリーをどう思ったかきかれて、今度も正直に答えたら、彼女は急にうちとけた様子になった。

「あなたもそう思ったのね。そう、この犬は普通じゃないわ。しかもいつもおなかを空かせてるの。この痩せ具合を見てごらんなさい。かわいそうに。ほら、私はいつもおやつをあげてるの。いつもひとりでほおっておかれてるし……アマンダには、犬を飼う権利なんかないのよ」

その後、私もこっそり犬に食べ物を与えたりしていたが、こらえ性のない(?)リリーは、夕方アマンダが戻る前にウンコを家の中でしてしまうので、仕方なくやめた。

ジャンとは、なぜか行動パターンが似ているらしく、市民プールで、スーパーで、ハビタのバーゲンで、入り口のエレベーターの前で、よく出会った。その度に、ちょっとした会話を交わすのが、私の楽しみでもあった。

リリーの散歩をやめた後のジャンに、ときどき、アマンダ最近どうしてる、と聞かれて、まあ元気みたいと答える。ジャンは疑わしげに「そおお? こないだも彼女見たけど、なんかあの人いつも悲しそうじゃない。彼女のこと包んでくれる人が必要なのよ。そう思わない?」と図星をついてくるので、返事に困ることがある。

だって彼女、男女同権論者《フェミニスト》よ。それが保護してくれる人が必要だなんて、建前上まずいんじゃないかなあ。それに同じく保護してくれる人がいない私は、悲しそうに見えないのかしら。私ってそれだけでも、ソンしてるかも。

ジャンとは、私がカウンシル・フラットを出てからも、ときどきバッタリ会う。連れ立ってどこへ行くということもない、立ち話だけの隣人だけど、なぜかウマがあってしまう人だ。

私たちの下の部屋に住む一家は騒々しい。まず一家全員、声がでかい。テレビの音もでかい。耳が遠いのかもしれない。そしてなぜか一日中全員が家にいることも多い。

例えば朝からフットボール中継がある日、両親と成人していそうな声の息子たちが揃って、恐ろしいほどのでかい声で、応援し、また罵声をテレビに浴びせかける。ほぼ二言目には、汚いののしり言葉が入る。私はよく朝食をとりながら、なるほど、英語では、ののしり言葉をこのようにサンドイッチするわけね、と聞いている。あまり実践したくはないが。

この家の中心人物は、ドラエもんのような声のお母さんであると見た。朝のフットボール中継、昼のメロドラマの再放送、夕方のニュース、一日の締めくくりともいうべき、一家をあげての大ゲンカ。いつでもこのドラエもんの声は参加している。紅一点だから、目立つのかもしれない。

夫とおぼしき人物に、「このクソばばあ、おまえなんぞ、そこのクソ窓からクソ今すぐクソ出てうせろ。クソ二度と帰ってくるなよ」と真夜中にののしられても、微動だにしない。「このクソおやじ。私の顔をクソ見たくないなら、あんたがそこのクソ窓からクソ出ていきな。誰もクソ止めやしないさ」と返している。このクソに当たるあわれなサクソン語系のfuckingという単語をこの一家は、ワンパターンな合いの手として、会話にはさんでいた。

このドラエもん・ママについに、エレベーター・ホールで会う機会があった。声を聞けば、絶対に間違えることはない。グレイのスエットパンツは色気がなかったが、意外やショートカットがかわいくもある、ころころした小柄な人だったのだ。「昨日のエレベーターの故障は大変だったよね。あなた歩いて十四階まで上がったの。ほええ」というときには、ごく普通の言葉使いである。

同じ階に、目の不自由な青年が住んでいる。トルコかアラブ系と思われるこの人は、白い杖をもっていなければ、目が不自由とはわからない。ぼんやりと物の形は見えるらしい。この青年と知り合いになったのは、鍵を忘れて出掛けてしまい、夕方ドアの前で、もうすぐ帰ってくるはずのアマンダを待っていたとき。この人が歩いてきて、ドアぎりぎりによけていたはずの私に、正面からもろにぶつかったのがきっかけだ。

私は度肝を抜かれてしまった。彼の歩きぶりを見る限り、とても目が不自由とは思わなかったからだ。たがいに申し訳ないとあやまったあと、なぜ私がここに立っているかの理由を知った彼は、部屋にお茶を飲みにきませんか、と誘ってくれた。ありがたいが、行くわけにはいかない。

相手は初対面の男性だ。迂闊に部屋に入るわけにはいかないではないか。丁重に断るが、相手もけっこうしぶとい。そんな寒い廊下でいつ帰るかはっきりしない人を待つより、自分の部屋で、おいしいお茶でも飲みながら待つほうがいいに決まっているというのだ。悪い人ではなさそうだし、彼の孤独感のようなものもじわっと伝わってきて、自分が冷たい人間に思え、どうも具合が悪かった。それでも、オーケーとはいわなかった。自分の身の安全は、自分で守らねばならぬ。それでも彼があきらめて去ったあとで、やたらに落ち込んだ。

アマンダに聞くと、彼は娘にもつきまとったということ。孤独な人間で普通ではないところもあるから、関わりをもたないほうがいい、ともいわれた。ちょっと冷たいなあ。でもその後も何回か誘われた私も、断った。そのたびになぜか落ち込んだけれど。

その後、カウンシル・フラットを出て半年もたった頃、週末の夜遅く、友人に車で送ってもらったことがあったが、家のすぐ近くでスピードを緩めたとたん、白い杖をもった男の姿が目に入った。あの青年だった。となりには、彼より一回りも大きなブロンドの女性がいて、二人は仲良く腕を組んで歩いていたのである。

「ひゃあ、私あの人知ってる。昔の隣人よ。あの人、ぶつかってきたけど、ほんとは少し見えてるかもしれない。お茶は断ったけど。がんばって、とうとう見つけたのね、ガールフレンドを。おうおう、仲の良さそうなこと。よかった、よかった」

私はひとりでしゃべりつづけ、間もなく降りてしまったので、何が起こったのか友人にはわからずじまいだったようだ。

さて、私の住んでいたビルには、管理人さんもいた。黒縁の眼鏡をかけて、どう見てもジーンズより背広のほうが似合いそうな管理人さんは、建物全般の管理の他に、月曜日の朝になると投げ捨てられた空き袋や、食べ物のカスが散乱しているエレベーターなどを、掃除してくれるのだった。挨拶以上の言葉を交わしたことはあまりないけれど、私がそこを引っ越す日、手伝ってくれた友人たちと最後の荷物をもって、出ようとしていたとき、ホールでの住民の話し声が、フッと耳に入ってきた。

「管理人さんご夫婦、別れたんだってね。奥さん出てったってよ」

タイミングがタイミングだっただけに、ぐっと胸をつかれるものがあった。私はけっこうこの手の話に弱いのだ。

あれだけの世帯数にしては、引っ越しして出ていく人は、一年半のあいだにいくらもいなかったし、私がいてもいなくても、この二二階建てのコミュニティは、変わらずに日常生活を続けていくだろう。でも同じように見えても、同じ日は二度と戻ってはこないのだ。子供たちは成長し、大人は歳をとっていく。

「娘が来たときは、リビングを占領することになると思うわ。そしてもし彼女がこのフラットに戻ることになったら、悪いけど、あなたには引っ越ししてもらうことになるけど、よろしく」

入居のときにいわれた言葉が、急によみがえる。そういえば私、アマンダの娘には、一年半のあいだ、一度も会わなかった。

私流イギリス料理

フラット・シェアを始めて三カ月目の頃。美術学校に通いはじめ、基本的に三食とも自分でつくることにした。理由は、第一に、ずいぶんお金を節約できること、第二に、栄養のバランスを考えやすいこと、第三に、料理するのがわりと好きだから、である。

では何をつくっているか、というと、これが人に自慢していえるようなシロモノではない。一人暮らしになったのと、入手できる材料が限られているためか（日本食品店はあるが、高いのであまり行かない）、ロンドンに来てからは、いっさい料理の本を見ていない。いきおい、美術学校の課題制作と同じようなノリで、思いつきのアイデア料理になったりする。

昼食用のサンドイッチの具も、思いつきで何でもはさんでしまうので、同級生たちからよく「そんなのは見たことがない。それは日本のレシピか」と聞かれる。彼らは、有名なる粗食文化の国の人々だから、料理に関していえば発想がワンパターンで、創造性に欠けている人が多いと思う。それとも私が、とんでもないものをはさんでいるのだろうか。

ここではしかし、サンドイッチの具はおいといて、私のイングランド風（？）晩ゴハンのレシピのことについて話したいと思う。

和食、正確にいえば「イングランド風和食もどき料理」は、私の元気の素のひとつ。歩いて十分の場所に、大きなスーパーマーケットが二つあって、そこで入手できる材料で、おいしく手早くできるのがミソなのだ。

まずお米、イタリア産のプディング用の丸いお米を買う。一キロで九九ペンス（約二〇〇円）これを鍋で炊く。日本米より多少ネバリに欠けるが、悪くない。そして私は鍋炊きゴハンの名人なのだ。というのも日本にいるときから、鍋で炊いていたからだ。理由は簡単で、電気釜や保温釜の形とデザインとコンセプトが、どうしても許せなかったからだ。生活の美の許容範囲を超えている。

次に薄切りのベーコン。塩漬けの後、スモークされたこのあまりにもイギリス的な豚肉は、私のもどき料理の最多出演賞を受賞するに値する。こちらのスーパーでは売っていない薄切り肉の役目を立派に果すとともに、本来のベーコンとしても、もちろん使えるのだから。

例えばお好み焼きに、肉ジャガに、豚汁に、白菜（チャイニーズ・リーフという名でスーパーにも売っている）との煮物に、焼きソバやラーメン（これらも売ってる）の具に、肉ドーフ（豆腐も売ってる）に、ありとあらゆる和食もどき料理に、イングランド的なコクを加えることができる。

本来のベーコンとしての用途もたくさんあるけれど、ここでひとつ、地元産の材料のみで作れる、私の思いつき旬のイギリス料理をご紹介。おいしいですよ。

〈タンポポの葉とカリカリ・ベーコンのジャガイモ・サラダ〉

＊材料とつくり方

できれば早春、近所や野原をひとまわり散歩する。犬の排泄物がかかっていないと確信できる、若いタンポポの葉を摘む。花があってもよい。

イギリスが原産といわれるネギのようなハーブ、チャイブスもついでに探す。たぶん見つからないのでスーパーで買う。チャイブスかなと思うのは、たいていイネ科の雑草か牧草である。不明なときは、食べてみればわかる。

家に戻って、ジャガイモとニンジンをゆでる。ドレッシングをつくる。この場合、酢と油とマスタードが合う。塩とか醤油（スーパーで売ってる）、隠し味で砂糖をちょっと入れるときもある。分量はそのときにおいしいと思った割合が正しい。

さて、大きなお気に入りの皿か鉢に、彩りを考え、まずサラダ菜を敷くときもあり、敷かないときもある。ジャガイモとニンジンをドーンと盛り、相性のいいチャイブスをたっぷり、タンポポの若い葉や花びらは適度に散らす。葉は胃腸にはいいと思うけど、苦いから使いすぎないこと。前にタンポポの葉だけのサラダをつくって、そのあまりの苦さに友人も私も気を失いそうになった、文字どおり苦い経験がある。

ここで真打ち登場。フライパンに油を足して（ニンニクを加えてもいい）、したたるばかりにジュウジュウとしかもカリカリに炒められたベーコンを、景気よく上からジョワーとかける。熱々をグワグワ食べる。主食にも副菜にもなる。

さて、ベーコンほど派手ではないが、スーパーで売っているサバの燻製もなかなかにけなげなアイテムである。焼魚の雰囲気があるのだ。これを、炊きたてのプディング・ライスの上にのっけて、大根（これもスーパーで売ってる）おろしをぶっかけて、醤油をかけて食べる。このブッカケ・ゴハンは、経済的でおいしいので、意外とロンドン在住の邦人、特に学生のあいだに浸透しているのではないかと思うが。友だちをよんだりするときは、アナゴの代わりにスモークサーモンを使ったちらしずしとか、イギリス名産のジャガイモをふんだんに使ったコロッケを作ったりもする。

ロンドンには、サツマイモがあまりないのが残念だ。ところが、サツマイモの顔をした甘くないイモというのがあって、だいたいの日本人は一度はだまされてしまう。たまに、アフリカ産のスイートポテトが店に並んでいることがある。買って茹でてみたけど、皮がわりに厚くて、日本で食べるあのホクホクとした味わいはなかった。残念。

カボチャも顔が違っている。秋になると出てくるあのバカでかいのは大家族用で、きっと中身はパイにしたあと、目鼻をくりぬいてハロウィンのランタンにでもなるの

近所の八百屋さん。マッシュルームやビーツは定番野菜。春先はルバーブが並ぶ。すっぱい茎を砂糖煮にして、パイやデザートに。

だろう。私はスクアッシュという小さめので、そぼろ煮を試したが、なかなかいけた。

それから、プチオニオンの酢づけは、酢を捨てて、ハチミツを入れておくと、そのうちにラッキョウもどきができる。このラッキョウもどきを、日本を出てアジアから東ヨーロッパを通り、半年以上かけてイギリスにやってきたという友人の友人に、カレーライスに添えて出したことがある。長らく和食らしいものを食べてないというKさんは、このアイテムにいたく感激してくれた。

その後、一、二カ月たって、無事に日本に帰りついたという便りと共に、なんと彼が自分でつけたという、正真正銘のラッキョウが一壜届いたのである。今度は私が、感激する番だった。ラッキョウもどきで、本物のラッキョウを釣ってしまったのである。鷹の爪も入ってピリリと辛みのきいた本物のラッキョウはやっぱり、おいしかった。

さて最近もまた、地元の産物を使った料理のレシピをいくつか思いついている。ブランブルというノイバラがたくさん荒れ地や道端、庭などに生えているので、その実ブラックベリーを摘んでジャムや、タルトに使うというのは順当な線だろう。

もうひとつ、わりと革新的なのもある。ハイゲイト墓地に山と生えているイラクサ（ネトル）を使ったキッシュである。自然食品店にはイラクサのお茶だって売っている。実はこれを思いついたのは、墓地でイラクサを摘んでいる二十歳くらいの女のコに会ったからだ。何に使うか聞いたら、ホウレンソウの代わりに食べるという。で、これはキッシュに使えるな、とピンときたというわけなのだ。よく見ると、墓地のイラクサは瑞々しく、よく育っている。土の栄養が良さそうだ。犬の排泄物の心配をしなくてもいいから、清潔でもある。

「ハイゲイト墓地のイラクサのキッシュ」――トゲはいやだが、鉄分たっぷり、元気の出るイラクサに、ベーコンとマッシュルーム、そしてタマネギを加えたら、とってもイングランド風。

早速つくって友人にごちそうしてみようかな。種明かしは、もちろん食べたあとよ。

違法居住者？

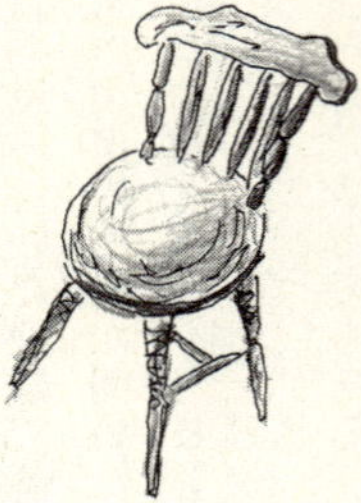

違法にカウンシル・フラットに住んでいた頃には、何のお咎めもなかったのに、大家さんときちんと契約書を交わして、合法的に入居したはずの家で、思わぬ出来事がもちあがった。「違法」居住者として大家さん共々、裁判所に訴えられたのだ。

それはイースター直前の四月半ば、夜の十時半頃のこと。突然、名前も名乗らない男が、ちょっと開けてくれと部屋のドアをノックしてきたことから始まった。ただならぬ雰囲気を感じて、ドアを開けることをためらっていた。その男と一緒にいるらしい、この家の住人のクイーンマザー（本当の名前は知らない）が、「なんにも心配いらないのよ。ちょっと手紙を配ってるだけ。あなたには、直接関係のないことだけど、とりあえず。ほほほ」と、わざとらしいまでの快活さでいう。ところで、本物のクイーンマザーは、エリザベス女王のお母さんで、今年九三歳になられた（一九九三年当時。今もご健在である）。

しぶしぶドアを開けると、夜なのにサングラスをした男が手紙の束をよりわけながら、挨拶もなしに「名前は？」。不愉快なことこの上もない。

ドアを閉めて、受け取ったばかりの手紙を開くと、差出人は弁護士である。見慣れない単語の群れが、よく意味のつかめない私をより不安に陥れる。辞書を引く余裕もないまま拾い読みしていくうちに、「あなたには関係ない」どころの話じゃないのがわかってくる。なぜって、大家のマリオス氏をはじめとする被告人四十数名の中に、しっかり私の名前も並んでいたからだ。私たちは「違法」居住者として訴えられたのだ。

じゃあ、いったいクイーンマザーのあの余裕はナニ？　よくわからない。わかるのは、私が訴えられたということだけ。何も悪いことをしていない私が、なぜ被告人になってしまったのだろう。もうパニックだ。思考能力がない。どうしよう。こうなったら、えーいもう寝てしまおう。

私はとりあえずぐーぐー眠ってしまった。どんな事があっても、とりあえず眠ってしまえるというのは、私の特技なのだ。

翌日辞書を引いたり、ロンドン大学で法律を学んでいる隣のヴェロニカや友人に聞き、それでも釈然とせず何回も手紙を読み直してやっとつかんだ状況は、どうもこういうことらしい。

「原告N社は、八八年十月Wプロパティ社と抵当契約《モーゲージ》をした。ところがWプロパティ社は、この契約を不履行にして、新たにマリオス氏とリース契約を敢行したのである。すなわちN社との契約不履行に基づくマリオス氏とのリース契約は違法である。従ってそのマリオス氏と賃貸契約をした住民一同も、同じく違法居住者とみなされる」

わかってみれば、そういうことかと思うが、私たちは彼らの契約書一通だって見たわけでもないし、誰が正式な持主だろうと知ったことではない。静かに平和に暮らしたいだけだ。当事者だけでカタをつけてほしいものだ。

そんなことをヴェロニカにグチっていると、彼女は大人顔で自信たっぷりにいう。

「私は法律を学んでいるし、法律家のおじさんもいて早速アドバイスをもらっているの。心配することないわよ」

つまり、こういう訴訟のケースは、準備だけでも数年かかることもある。裁判の正式結果が出るまでは大家との契約が生きているわけだし、毎日事務所にいるマリオス氏への家賃を滞納したら、われわれは出ていかなくてはならないのだから、原告の口車にのって、原告に家賃を払ったりしないこと。それこそ彼らの思うつぼだ。クイーンマザーの余裕は、彼女がプロテクテッド・テナントという保護される権利をもっているため、被告から除外されているためとか。今ひとつわけのわかっていない私にとって、ほんとうに力強い言葉である。若いのになんてかしこくて、落ち着いているのかしら、と感心してしまう。

数日後、大家のマリオス氏も「自分は合法的に行動していたし、原告はまったく理不尽で、住民を巻き込むなんて汚いやり方だ。もちろんこちらも弁護士を立てて戦うつもりだし、住民は巻き込まないようにする」と説明してくれた。そして彼の勧めに従って、裁判所から一人ひとりの被告宛てにきていた書類の「原告に異議申し立てる」の欄にチェックし、署名してマリオス氏に一任した。

これでやれやれだわ、と思っていられたのは、ところがほんの数週間だけだった。というのは裁判は、ヴェロニカが言うようにも、マリオス氏の言葉どおりにも進んでいないことがわかったからだ。準備に数年かかるどころか、すでに審議は相当な速さで進んでいたのだ。まず、マリオス氏が、この家と敷地内に立ち入ることと、家賃を受け取ることが禁止された。

まずい、と私はあわてる。やはり法律は、二三歳のかしこい女のコが把握できるほど、チョロイものではなかったか。マリオス氏の直情的な正義感も形無しといったところ。まして私は無知蒙昧もいいところだ。まったくお手上げで、面倒なことになる前に、なす術もなくすごすごと荷物をまとめて引っ越すしかないのだろうか。気に入っている部屋なのに。

しかし、これで終わりではなかった。イギリスという国の底力を、まざまざと見せつけられる出来事が起こったのである。

ある日郵便箱に、オレンジ色のラインも鮮やかな三つ折りの手紙が投げこまれていた。差出人はカムデン地区のハウジング・アドバイス・センターである。内容は「あなたを巻き込んでいる裁判沙汰は、原告の手紙を拝見して知っている。この件についてアドバイス・チームで話し合い、あなたが次のような行動をとることが最善であると判断した。その一、裁判の正式結果が出るまで、原告にもマリオス氏にも家賃は払わず、代わりに払う意志をもっていることの証明として、銀行に家賃積み立て用の口座を開くこと。その二、原告に手紙でその旨知らせ、併せて被告人名簿からあなたの名前を削除するよう要請すること。その三、裁判のケース番号を添えて、その手紙をハイ・コート（裁判所）に送付のこと。そして、アドバイスが必要なときはいつでもご連絡を」というもので、原告に出す手紙のサンプル文まで添付されていた。

住民の誰かがこのセンターに相談に行ったのかもしれないが、それにしてもすごい。たぶんイギリスでは当たり前の保護システムの一環なのだろうが、やっぱり私はうなってしまう。たかが無知で無力な住民の一人と、簡単には切り捨てられないのだから。その後、新しい口座を開き、原告に手紙を書き、ついでに「原告に異議申し立てる」は間違いで、私は中立の立場ですと裁判所にも訂正を出す。センターの担当者ミズ・ハーディープに会いに行ったのはいうまでもない。

七月初旬には、四週間後をもってマリオス氏がすべてを失うという判決が出た。彼は上告したかったようだが、勝ち目はないと判断したか結局上告はせず、建物の持主が原告のN社に移った。その間の経過は書面で、原告からもマリオス氏からも、アドバイス・センターからも報告が来るので、事がだんだんわかってくるにつれ、悪者原告と単純に判断したのも早計だったと思えてくる。

さて、すでにマリオス氏は去り、面倒を嫌がったヴェロニカとかなりの住人は、引っ越していった。マリオス氏が上告を取りやめたとわかってすぐ、原告側の弁護士事務所に電話で「違法」居住者の私たちを、強制退去させるつもりがあるかどうか問いただした。強制退去の可能性に気づいて、またパニックになっていたのだ。担当者は、そのつもりはないことと、今後については、七月下旬に彼らのクライアント（N社）が正式に建物の持主になった後、契約の意志の有無の件を手紙で知らせるということを確認した。これで第三のパニック、強制退去の恐怖から逃れられたわけだ。

八月下旬、私たち居残りの「違法」居住者と、N社が新たに賃貸契約をするかどうか、まだ音沙汰がない。このまま不払いの三カ月分の家賃を持って逃げるが勝ちか、それともあくまで気に入っているこの部屋で、ねばるが勝ちか、緑につつまれた広い庭をながめつつ思案する私である。

ハムステッド

私の住んでいたスイスコテッジから、大きなプラタナスの並木道の坂をゆっくりと二〇分も登ると、ロンドンの山の手ハムステッド駅に着く。庶民的なスイスコテッジとは、がらりと雰囲気が違って、昔から文人と芸術家たちが多く住む落ち着いた街、それがハムステッドである。昨今はナントカぶった人たちの集まるスノップな場所ともいわれているようだが。

この街へ続く、広い歩道のある並木道が私はとても好きで、日本から友人たちが来るたびに散歩に連れだしては、この道を歩き、「この通り、私気にいってるから住もうと思ってるんだ。でね、この家すてきだから、買おうかなと思うんだ。でも、あの家も気に入ってるの。どっちがいいと思う?」と相談をもちかけるのを趣味としていた。

もちろん買うあてなどあるはずがない。家賃を払って、どこかの一室に住めるとも思ってはいない。ただ、そういう空想をすることが楽しい。そして、それを口にするだけで、半分ぐらいは満足できてしまうのだ。友人たちも、私の妄想癖には慣れているので、「そうね。あなたなら、あっちの家のほうが好みなんじゃない」なんて、けっこうのせてくれるのだ。

それが何としたことか、私は今、その通りに住んでいる。簡単なキッチン付きの部屋で、どこにいても、電話の受話器を二歩でとることができるという狭さではある。しかし、その狭さがほとんど苦にならないのは、大きな窓から見えるぜいたくなほど広い庭のおかげ。周囲の大きなマロニエやブナ、ポプラの樹々に囲まれた広い芝生の真ん中あたりに、古い木のベンチがひとつ、という環境のせい。

裁判騒ぎが続いて、庭の手入れがきちんとされていないせいで、早春にはダッフォディル、そしてタンポポやデイジー、夏になれば鮮やかな花をつけるヤナギランやブラックベリー、秋口には薄むらさきのマイケルマス・デイジーなどの野の草花が顔を出して、私の目と心を楽しませてくれている。

私の部屋探しはいつも、選択ではなく、出会いによって決まる。ほぼ直感とタイミングの勝負といってもいい。といっても、闇の中からポッといい部屋が現れるのではない。次に住むならこんな部屋というのを、ある程度思い描いているから、友人たちの引っ越し話を聞いたり、フラットに遊びに行ったときは、場所や間取り、家賃などの情報もインプットしておく。

アマンダとのフラット・シェアにプッツリきて、明日にでも引っ越ししようと決めたときは、キッチンと居間を共有しないベッド・シットに戻ろうと思い、図書館と近所のニューズ・エイジェント（新聞とか雑貨販売店）の空き部屋情報をチェックして、いいのがなかったのでアコモデーション・センターに行ってみた。これは、学生とか短期の滞在者向けのお部屋情報センターという感じだ。

ハムステッド地区で郵便番号はNW3に限る。ベッド・シットで家賃は週六五ポンド以下という、思いきりわがままな条件を伝えた。

「NW3なんていう家賃の高い地区の、そのまたハムステッド寄りなんて、けっこうわがままだなあ。しかも週六五ポンド。そんなぴったりな物件はそうはないよ」

といわれたが、私が住んでいるカウンシル・フラットだってNW3地区にあるのだ。それに郵便番号が変われば、GPというかかりつけのお医者さんも新たに見つけなければならないから、面倒だ。

「ほうら、やっぱり、たったひとつしかない。でも見にいってみますか」と聞かれて住所を見た私は、「これだ」と思った。私の大好きなあの並木通りだったからだ。

ところが訪ねていって、大家さんのマリオス氏に見せてもらった通り側の部屋が、違うのだ。感覚的に私の部屋じゃないのだ。がっかりした。私だって願望に近い直感が当たらないことだってある。この世の中、あきらめなければならないことが、星の数ぐらいもあることぐらい、とうに知っているわい。知ってはいても、やはりがっかりはする。

ところが商売人のマリオス氏は、私の反応を見て、「もしかしたらきみは、庭側の部屋のほうが好きかもしれないね。その部屋は床の絨緞もグリーンなんだよ」などといいだすのだ。

はたして、その部屋はどう考えても、私の部屋だった。

樹々の裸の幹が寒々しかった一月から、緑濃い夏、そして秋にいたるまで、私は庭の景色に退屈したことが一度もない。このあたりを根城とする灰色リスのカップルは、毎朝木から木へ飛び移り、走りまわり、時に部屋の窓のすぐ近くまで来ていたりする。

春にはこのカップルに四匹の赤ん坊が生まれ、この子たちがやがて、おっかけっこをしたり、危なっかしく木から木へ飛び移るのが部屋から、よく見えるのだ。時に、住宅街の道を散歩することもある。うねうねとした坂道と、思いがけない小径、羊飼いの小径なんていうのもある。そして樹々に囲まれた、どっしりとした古いレンガの家、庭の花……そのどれもに、私の心を楽しく、そして豊かにさせてくれるような美しさと、ゆったりと流れる歴史と、余裕がある。

住宅街には住宅しかない。いや、所によっては、静かなパブや博物館がぽっとあったりする。しかし自動販売機や二四時間営業の店など存在を想像することもできない。便利さと、環境の美しさをやすやすとは引き換えにしないところがいい。その頑固さがビシッと伝わってくるハムステッドが、だから好きだ。

私は気持ちが落ち込んだり、ロンドンで生活していること自体に疑問を感じたり、不安やうまくいかないことがあったりすると、よく散歩する。ハムステッドの静かな道を歩く。ヒースと呼ばれる広大な草地を歩く。池の水鳥を見る、水の波紋を見る、のどかな釣り人を見る、樹々と土の草の匂いをかぐ、散歩する大人と子供たちに出会う、たくさんの犬たちとすれちがう。歩いて歩いて、肺にも心にも酸素をいっぱいとりいれていく。そうしているうちに、力がわいてきて、なんとかやっていけそうな気がしてくるのだ。

だから、どうしてもハムステッド。ロンドンという都会でも、私に必要な酸素がじゅうぶんにあるこの環境に、どうしても自分をおいていたい。

PART 2

再びの学生生活

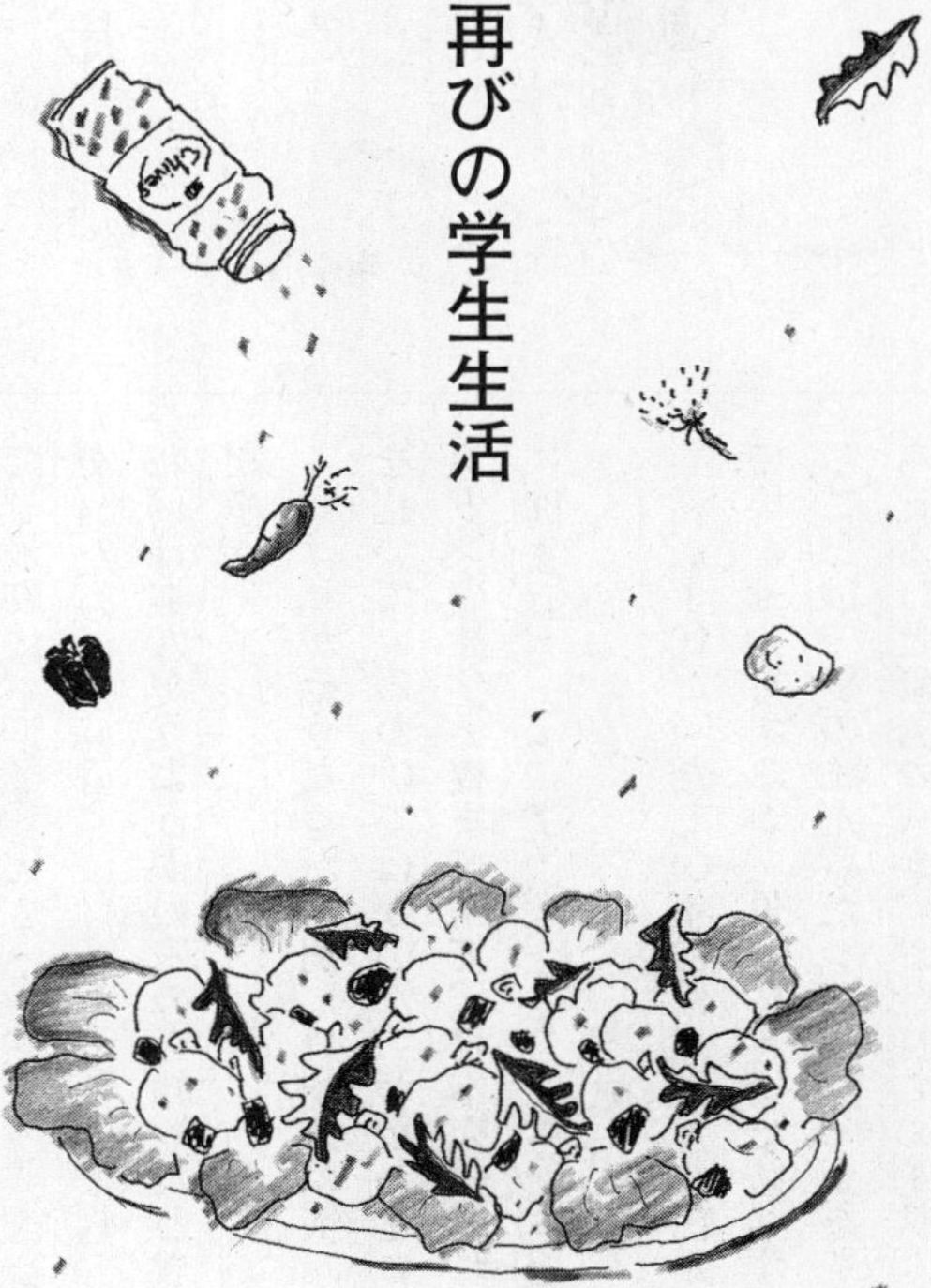

語学スクール

期待を胸にイギリスの英語学校に入学して、最初に、「うそっ、こんなハズじゃなかったのに」と思うのは、まず十中八九、日本人がうようよいるのを知ったときだろう。

実は私がそうだった。別に日本人に恨みを抱いているわけではないが、わざわざロンドンの語学学校まで来て、日本人の群れに囲まれることはないだろう、という思い。

私が十代だった七〇年代は、田舎に住んでいたせいもあるが、外国に行って勉強することは、夢のまた夢だった。奨学金をもらえるほど優秀な人か、お金持ちの子供だけの特権だと思っていた。ところが、八〇年代に為替事情が大きく変わって、私までもが、自費でイギリスまで来ることができる時代になってしまったのだ。つまり、私が来られるくらいだから、誰でも来られる時代になったのだ。だから、語学学校が、ある程度の自己資金をもつ脱ＯＬ遊学生のメッカになっても不思議はない。

外国の語学学校で学ぶことを留学と呼ぶのはしかし、抵抗がある。遊学というのも意味はほぼ同じだが、語感から私は、語学学校で学ぶことを、遊学と呼びたい。こんな手軽な学校に一日三時間いて、留学といったのでは、明治維新以後、苦労に苦労を重ねて学んだ留学生たちに申し訳ないと思うからだ。

で、私は語学学校で、一年間遊学させてもらった。少々錆びついているとはいえ、所詮英語だから、一から学ぶ必要はない。先生も日本人の扱いに慣れているせいか、一部の人だけの議論になりかけると、制止して、順ぐりに黙っている人を名指して、意見をいわせたりする。刺激がもうひとつない。私自身にとって語学は手段であって、目的ではないので、興味ももうひとつだったのかもしれない。

語学は、初級の頃、もっとうまくなりたいと切に思っているときが一番面白い。ロンドンに来る前に、南仏でフランス語の学校に通っていたが、この時は毎日家に帰るとめまいがするほど、入れこんでいた。ここでは、ロンドンの学校みたいに、順ぐりに意見をいわせたりしない。人より先にしゃべらなければ、永久にしゃべる機会がないのだ。これではまずいと思い、イタリア人やスペイン人にはかなわないにしても、まず考える前にしゃべりだす、という技を編み出して、ようやくしゃべる機会を得た。

街でも駅でも本屋でも、私のヘタなフランス語に閉口して、英語で返事をしようとする人々に、断固私はフランス語しかしゃべらない、と彼らのお株を奪う頑固さで対抗して、寝ても覚めても、語学の習得に没頭していた。それでロンドンに来た最初のひと月ほどは、頭の中でフランス語から英語にしないとしゃべれなくて苦労した。しかし、今思うことは、習得するのは大変でも忘れることのなんと簡単な……ってこと。

ところで、海外で自分の意見をいえない日本人を嘆き、叱咤する文章によく出会うが、私は大きな疑問をもっている。日本では生まれたときから始まって、学校、会社、家庭において男女共に、自分の意見をもたないようにしむける教育をし、なまじ、なぜと聞かないほうがかしこいとされる環境を作っておきながら、海外に出たら、急に意見をいえといっても無理な話ではないか。

第一、議論のしかたや、論文の書き方、自己表現のしかたなど、義務教育でも、高等教育でも教えられた覚えがない。学校でも、自分の意見を主張したり、人と違った価値観をもって行動すれば、通信簿に協調性がない、と書かれ、親を心配させるだけだ。

国際社会で、日本人を代表してがんばっている人々は、言葉のハンデに加えて、一八〇度ぐらい議論と主張に関しては、価値観の違う国の人々とコミュニケーションしていくのだから、大変な苦労だと思う。しかしまた、国際社会や外国生活で、意見をいうことの快適さに気がついても、再びまた一八〇度価値観を戻さなければならない日本社会に戻っていくのでは、かえってストレスがたまるのではないだろうか。

ある時、語学学校の先生に、「日本の男性はあまり入学してこないが、彼らはどうしているの?」と聞かれたが、脱OLだけでなくて、脱・井の中のかわずを目指す日本男性も、もっと語学学校へ入学してみてはどうだろう。外国人の女性や男性と、まず友だちとしてコミュニケーションしてみたら、世界観が変わるかもしれない。議論をしてもいい、恋をしてもいい、ケンカしたっていいと思う。

日本人は語学が苦手だとは、特に思わない。インド・ヨーロッパ語系の言葉である英語やフランス語を、インド・ヨーロッパ語系の人間と一緒に学べば、ハンデがあるのは当然だ。でも、ハンデがあるから彼らよりできなくて当然と思うのは、ちょっと違う。私の経験だと、努力が足りないか、勉強の仕方がまずいと思うほうが間違いはない。でも基本的に母国語がきちんとしゃべれれば、外国語が苦手でも、コンプレックスをもつ必要はないと思っている。イギリス人を見れば一目瞭然。彼らの大多数は、母国語である英語しかしゃべれないではないか。たまたま、祖先の植民地政策の成功や、アメリカ合衆国が英語を公用語としたことで、今得をしているだけだ。

でも同時に損もしている。というのは、言葉は文化だからだ。母国語だけで満足していれば、違った文化やものの考え方に触れ、自分の世界を広げ、コミュニケーションの楽しさを味わえないで終わってしまうことも大いにありうる。

事実、私が語学学校で得た最大のものは、いろんな国から来た人たちとのコミュニケーション。さまざまな人たちと話し、議論し、友だちになり、時にはケンカしたことだ。私はケンカが嫌いではない。ケンカといっても、ある程度の冷静さと思いやりは必要だが、いいたいことをいいあって、世界は広い、価値観もひとつではない、ということがお互いにわかると、その後はかえって前よりいい友だちになれることのほうが多い。もちろんめったにケンカはしないけど。

南仏とロンドンを併せて、思い出せるだけでも韓国、台湾、中国（香港）、インドネシア、マレーシア、バヌアツ、オーストラリア、中近東に行ってトルコ、サウジ・アラビア、イスラエル、アフリカはケニア、南アフリカ共和国、レ・ユニオンなど、米大陸ではカナダ、アメリカ合衆国、コロンビア、そして旧ユーゴスラビア、オランダ、ベルギー、スイス、フランス、イタリア、スペインなど、二十カ国は越える人たちと出会えた。

英語には、恐ろしく慣用表現が多くて、英語学校ではカバーしきれない部分もある。テレビを見たり、現地の人の中でショックを受けながら、その辺は身につけていくしかないと思うが、私の世界地図のほうは、英語学校に行ったおかげで、前よりずっと生き生きしてきた。

社会人学生

イギリスへ行ったら、まず児童文学とさし絵について学ぼうと思い、出発前に、ブリティッシュ・カウンシルに出向いた。係の人も一緒に探してくれたが、しかし結果は意外にも、コースが見つからなかったのである。児童文学を勉強するのなら、アメリカへ行ったほうがいい、と薦められたけど、私は、あんなだだっぴろいところは苦手だ。

イギリスがいい、それにイギリスの児童文学を勉強するのに、なんでアメリカへ行かねばならぬのだ。たとえ英米児童文学と呼ぶにしても。

それで、どうやって探したらいいか、考えあぐねた。このあたりは、英文学科に入ったはいいが、児童文学を専門とする先生がいないのを知ったとたん、やる気喪失してしまった、かつての無気力な学生が十余年目に受けた報いかも。

それでもやっと教育者のためのパートタイム・コースを見つけ、とりあえず、手紙を書いてみた。でも、イギリスで学生ビザを取得するためには、フル・タイム（週に十五時間以上）のコースを取る必要がある。で、フル・タイムの学生として、しかも教育者の経験もない私を受け入れてもらえるかどうかという、多分に無理な要求をしてみたのだが、南仏滞在中に、日本から転送されてきた手紙には、やはり不可能です、とあった。

どうしよう、無事ロンドンに行けるのか、行って、何ができるのか。困ったけれど、とりあえず語学学校へ行って、英語の勉強をし直しながら、考えることにした。

そして、語学学校で学んでいるうちに思いついた、というか思い出したのが、美術学校。四年前に日本で一度断念した美術学校に挑戦して、絵のほうから入る手もあるじゃない。まず一、二年のイラスト・コースを探す。しかし、あったあ、と捜しあてたときと、申し込みの締め切り日はほぼ同じ、一月三一日だった。なんというドジ。

大学進学希望のイギリスの学生たちが、共通資格試験「Aレベル」に合格した後、美術学校の本科へ入学する前に行く、基礎コースの締め切りも一月末なのを発見。一からデザインとかイラストの勉強を始める外国人にも最適のコースである。またもドジを踏んでしまった。

だけど英語学校に二年も通ったら、退屈してしまうと思い、ええいと、三月末締め切りの本科ＢＡ（大学卒業にあたる学位）コースに申し込んだ。ダメでもともとだ。三年から四年のコースだけど、二年ぐらいでお金がなくなったら、中退すればいいんだ、というぐらいの思いだった。何かデザインとかイラストをやるキッカケがあれば、それでいい。

ただし、ＢＡのコースには入学一年目からイラストだけをやるコースはなかった。グラフィック・デザインのコースに入るのがよさそうだ。ロイヤル・カレッジとロンドン大学のゴールドスミス、それからシティギルド等母体の違う学校を除いて、ロンドンの美術学校連盟加盟校というのが五つ程ある。チェルシーとか、セント・マーティン、そして今私が通っているロンドン・カレッジ・オブ・プリンティング（ＬＣＰ）等がそうだ。応募の際には、五校を統括するインスティチュートに、書類を送るシステムになっていて、三校まで併願できるし、どの学校でも見学に行ける。他の見学者や学生たちから、別の学校の情報も得られて都合がいい。

というのは、学校によって得意とする分野があって、例えばチェルシーはグラフィック、セント・マーティンはファッション、そしてLCPは印刷製本とジャーナリズム関係、などという具合。

こういう情報は、先に訪れたチェルシーとセント・マーティンで仕入れた。そして最後にたどりついたのが、ロンドン・カレッジ・オブ・プリンティングの、これまた長ったらしい名前のコース、Media & Production Design。四年制のサンドイッチ・コース。三年生で、外部のデザイン会社とか出版社、その他個人の希望でどこでも研修に出る制度のある——つまりこの部分がサンドイッチなのだが——コースがいい、と決める。

といっても、なにしろ最後の最後に情報を得たところで、面接の前には、見学も問い合わせもしたことがない。泥縄式にひと月半ほど市民講座でやった人体デッサンと、何枚かの絵を含め、南仏滞在中から描きまくっていたイラストと日本語の描き文字の「プロヴァンス便り」と「ロンドン便り」をかき集めて、とにもかくにも面接時間に間に合った。五月のことである。

面接では、のっけから、なぜ応募していながら、しかもロンドンに住んでいたのに、一度も見学にも来ず、問い合わせもしなかったのか、を突かれた。他の学生たちは何回となく来ているのに、動機が薄弱なのではないか、というわけだ。ほんとうにやる気はあるのか、金はあるのか、厳しいコースについていく自信はあるのか、美術史を勉強したのか、なぜ基礎コースを抜かしたのか、美術史に関する論文を提出しなさい、などなど。

はじめは緊張しきっていたが、たたみかけるような攻撃に、だんだん腹が立ってきた。試験官だと思って、いいたいことといって、私だって事情がいろいろあったんだぞ。

私は怒るとすごい集中力が出る。そして、たいていの場合、思っていることを、その場で表現しないではいられない。この時も、怒りの集中力にまかせて、文法や言い回しはどうあれ、不満を思い切りぶつけた。

どういう経過で美術学校に応募することにしたか、いかに情報を得るのが難しく、また入手した本のデータが古かったか、この訳の分からない名称のコースにたどりつくのが大変だったか。それに、イギリス人の学生のように、先生に引率されて見学に来るでもなし、情報をもらえるでもなし。

滞在九カ月のこの外国人の社会人学生《マチュア・ステューデント》（社会人の経験のある、入学時に二三歳位以上の学生のこと）希望者が、いかに努力をして、ここまで来たかを述べたのだ。それなのに、試験官とはいえ、あなたがたのあの杓子定規なものの言い方、それはないでしょう。私はベストを尽くしたのに、不公平だ。

そして、ついでに自分には動機だけはたっぷりある。テクニックと知識はない。ないからこの学校で勉強しようとやってきたのだ。確かに、美術史に関してはお手上げだ。勉強したことはないし、論文が必要だとも知らなかった。しかし、一カ月待ってくれたら、ひとつだけ書けるテーマがあるから、それをもって出直すつもりである。そのテーマは、ウィリアム・モリスについてである。

いいたいことをいって、せいせいした。落とされても、ストレスのもとは解消したから、後でくやしい思いをしなくっていいだろう。そうしたら、試験官の先生たち、笑いながら“Good discussion”

「いい議論だったね。あなたはいいたいことはいえるようだし、動機が十分あって、社会に出た経験もあるから、デザインを勉強したことがなくても、大丈夫だろう。がんばったら、追い付けるだろう。ところで、論文は一カ月も待っていられないから、入学後にしっかり勉強してください。確約はできないけど、学部長には、あなたを合格させたいと推薦しておきます」

とあっさり。

気が抜けた。さては、あのもって行き方は、彼らの面接時の常套手段だったのか。二週間後に待望の合格通知が届いた。うれしい、なんて言葉じゃその時の気持ちは表現できない。苦節三五年（もうその時は三五歳になっていた）、やっと美術学校生になれました、などという演歌調の台詞が脳裏をかけめぐった。しかし、今までこんなにやる気の出た時が、あっただろうか。

三五といえば、一般常識で考えれば、デザイン科の学生になるには、遅すぎる年である。しかし、私の個人的常識では、やる気になった時がちょうどいい時。やるからには趣味じゃなくて、将来これでゴハンを食べられるようになりたい、といつもの妄想がわきあがり、どんどん欲も夢もひろがった入学前の夏だった。その後に何が来るか、まだ気がついていない、ノー天気なつかの間でもあった。

美術学校

落ち葉が、初秋の風に舞い落ちる頃になり、入学式が目前に迫ると、私はとたんに落ち着かなくなった。もう勝手な妄想も欲も夢も、どこかへ消えて、学校など始まらずにいてほしい。このまま平穏無事な日々を続けたい、と思うようになった。早くいえば、おじけづいたのである。

　正直にいって、私が学校ぎらいでなかったのは、小学校の時だけである。中高生の時は、ふとしたきっかけから、劣等感のかたまりになって、同じ年頃の生徒たちがいつも自分をあざけり笑っている気がして、人の顔もまっすぐ見られなかった。学校に行くのがひどくいやだったけど、臆病なので登校拒否した後の、親や先生の反応が怖くてそれもできない。行くには行っても遅刻の常習犯で、授業が始まるとすぐに必ずトイレに行きたくなり、教室にいても、私のいることが誰にも見つかりませんように、とそればかり祈って、精神だけでも教室から離脱できないものかと、その方法を真剣に考えていた。それで四次元世界と異常心理学の世界にはまりこみ、一人本を読みふける暗く危ない少女だった。

そんなことを、二十年もたった今、ありありと思い出してしまったのだ。いい大人が困ったことだ。

もうひとりの自分が、おじけづく自分に、入学の日に登校拒否してどうする、とムチ打って、なんとかテムズ河の南岸にある学校にたどりついたが、やっぱり思ったとおり、私が入っていける雰囲気ではない。みんなが外国人という共通項をもつ、気楽な語学学校とは違う。大多数は、イギリスで生まれ育った学生たちで、緊張の中にも、リラックスしたムードがある、という気がした。

三十人余の同級生たちの自己紹介というのもあったが、ほとんど覚えていない。共通の背景もなく、世代も違う。彼らとは平均十六歳も違うのだ。ただでさえ、誰とでも友達になるような性格じゃないのに、どうしよう。

呆然としているうちに、一週目が過ぎ、気がつくと、教室では、すでに気の合う人どうしのグループができたりして、なごやかで気楽な談笑が始まっているのだった。まだ、私は呆然自失から立ち直ってもいないのに。

課題もどんどん始まってきた。私たちは、基礎コースは終了していると見なされているので、課題のプリントが渡され、一通りの簡単な説明だけだ。それが終わると、もうすぐにまわりは、レイアウト用紙やスケッチブックに、アイデアをかきつけたりしている。

私は、何をどうやればいいか、きっかけがつかめず、ただぼーっと座っているだけ。人に聞きたくても、何をどう聞いたらいいのかもわからなかったのだから。いやあ、あの時の情けなさ。なまじ、自分が同級生たちより、ずっと年上だって知っているものだから、余計あせったりし、落ち込んでは、空回りが続いた。

授業のカリキュラムは、月曜日の午前中が印刷理論、写植と校正、製本などの基礎を一学期ずつ。午後は西洋思想史。ルソー以後現代までを学ぶ。火曜日はタイポグラフィー。活字の書体について学ぶ。書体もポピュラーなものだけでも何十種類もある。背景や歴史、特徴など情報デザインに欠かせない知識を得て、実際にパンフレットや、ポスターを制作したり、自由につくる作品に生かしたりする。

水曜日は、ビジュアル・リサーチ。木曜日はインテグラル・スタディ。これも後で知ったが、同級生たちも、このふたつの違いや目的など別に把握しているわけではなかった。指導教授は違う、確かに。とにかく課題を、自分でわりに自由に解釈して作品を作る。金曜日の午前中はデザイン史。午後は写真。三学期目には、ビデオ制作やコンピューターの選択の話も出てくる。

というふうに盛りだくさんで、課題の締め切りも次々に迫ってくる。呆然とばかりはしていられない。なんとか形にしてクリット（合評会）に間に合わせねばならない。

このクリットの時は、十ばかり並んだ机に白い紙を敷き、ちょっとした作品展示会風に、各々の作品を並べる。学生たちは、まわりに集まり、ひとりずつ順番に制作者のスピーチを聞き、全員でその作品についての批評をする。

まあ、その批評の容赦ないこと。若さにまかせて、自分の作品には自信過剰、人の作品はクズのようにいう人もいるし、かと思えば、自分の作品には迷いだらけでも、批評する目は確かという人もいる。口が達者で、たいしたことない作品を、巨匠の傑

美術学校のスタジオ風景。学期末の成績審査のために作品を並べているところ。

作のように長々と理屈をこねくりまわして解説し、人をへきえきさせる人もいる。

クリットの展開は、例えば、スピーチが終わるやいなや、「私はその作品が嫌い」という反応がくる。

制作者はさすがにムッとして「なぜ」。

「なぜって、それ上っ面だけじゃない。感性だけで作ってるんじゃない。背後に深いコンセプトが感じられないわ。浅いのよ」。こういう批評をするのは、イラン系イギリス人のアトゥーサ。なかなか鋭い、頭のキレるコだ。

見るところイギリスのアートというか、昨今のアートは、感性だけでは評価されないようだ。コンセプチュアル・アートなるものが主流なのもしかり。これは逆にいうと、コンセプトさえ素晴らしければ、フォーク一本でもアートにしてしまえる危険性を秘めている。アートのセンスがない凡人がアーティスト面するには、もってこいの流れでもある。この頃は、そんなことまで頭が回らなかったけど。

これで、浅いか深いか、他の学生たちも加わって、ひとしきり議論になったりする。しかし、私が感心したのは、議論が食い違っても、個人的なしこりはまったくないことだ。この時も、アトゥーサの作品の番になった時、さっき浅いといわれたディヴは「その作品いいじゃないか。テクニックについて、質問していいかな」と、率直そのもの。

彼らは精神的にタフである、とこんな時思う。そしてけっこう大人でもある。見習うことはいろいろある。この頃は、まだまだこういう議論には、まるで入っていけなかったので、観察に専念していた。

私は、最初の一、二回目の作品は、課題の解釈を間違えていたりして、落ち込みからなかなか脱却できずにいた。それでも、失敗を通して、解釈は自由といっても、それなりのノウハウと技術が必要なのがわかった。間違わないためには、臆せず先生をつかまえて、度々話し合う必要があることも、また、学校は基本的に、自分で先生をつかまえて、食いついていかないと、ほとんど何も学べないこともわかってきた。

木曜日のピーターの授業の最初の課題は、「自分史」だった。子供の頃の写真を使ってる人はけっこういたが、私は、そんなものロンドンにもってきていないので、代わりに、身の回りのガラクタを使った。メッシュの針金で円筒を作り、中に同心円を年輪のように書いた紙を入れ、メッシュには、洗濯バサミから、編んだ毛糸の残り糸、ちびた鉛筆、メモ、飴玉、手紙、空きビン、パッケージなど、あらゆる身の回りの物を結びつけた。そうして、できあがったのはアートではなく、まるっきりのゴミ箱だった。

何だ、このアート面したゴミは。またどっと落ち込んだが、クリットの日はもう来ていた。仕方がないので、スピーチで感じたままをしゃべった。なぜか、おおっなどという歓声とも驚きともわからない声と、何人かの人からの拍手をもらった。

よくぞ、自分の作品をゴミと認め、正直にいった、ということだろう。ゴミはゴミ以外に何といいようもないけど。

意外にも、中国系イギリス人のルイーズが「あら、私これ、なんか面白くて好きだけど」。ウェールズ系イギリス人のジェインも賛成してくれた。香港から来ていて、東京にも行ったことがあるパトリックが、「きみの作品を見てると、東京の街を思い出す。なんか、ちょうどこんな感じだった」という。

「ああ、そうか。ちょっとわかった。東京って、いろんな文化と、悪趣味とハイセンスがまぜこぜになった場所だもの。私の感覚も今、まぜこぜになってるんじゃないかな」

てことは、東京って、世界の文化のゴミ箱か？

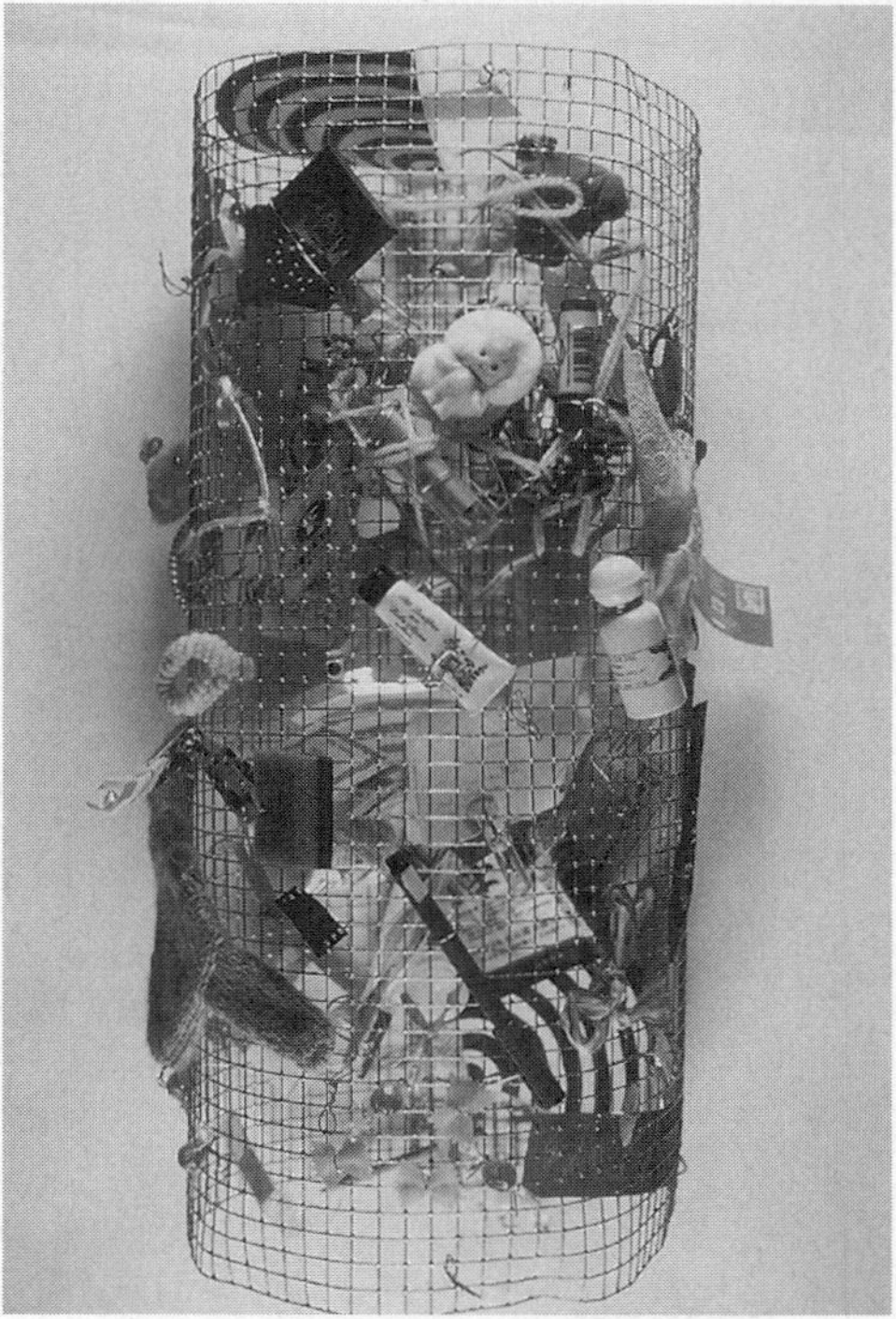

私の記念碑的作品「自分史」あるいは「ゴミ箱」。実物はとうの昔に捨てた。

そこで真打、先生のピーターが登場。「さてレイコは、自分の問題点に気がついたようだね。東京から、ロンドンに来て、新しい物の考え方や趣味にふれて、今は、余計それが混乱してきているのかもしれないね。イギリスやヨーロッパも含めて、いろんな文化に触れ、影響を受けることはいいことだと思う。でも、そこで自分の方向を失ってはいけない。このコースで、きみがやることのひとつは、影響を受ける前に、自分自身の背景である日本文化をしっかり押えること。そして、自分の方向を選ぶこと、じゃないかな」

異文化に触れることは、自分の文化を知ることでもあるのか。落ち込みつづけた中、得た物もまた大きい日々だった。

しかし困ったことは、その後、ゴミ箱の話が出たりすると、誰かが私のゴミ箱作品を思い出し、「そういえばレイコ、きみのあのゴミ箱は元気かな?」などというので、「おだまり、あのゴミ箱は奈落の底に捨てちまったよ」とピシャリといってやらなければならないこと。

ウィリアム・モリス

私がウィリアム・モリスの壁紙や、自分が美しいと思うものに囲まれて暮らす、という「小芸術《レッサー・アート》」の思想に興味をもちはじめたのは、いつだったろう。たぶん二十代後半、今から十年ぐらい前のことだったと思う。

同じ頃、日本の民衆芸術、つまり無名の職人の芸が創りだす生活具の美にも、興味をもちはじめた。そしてまもなく、小野二郎氏の書いた『ベーコン・エッグの背景』（晶文社）という本に出あって、モリスと日本の民芸運動の思想的な接点を知ったのだった。

その後ロンドンの美術学校に入学することになって、ふと目を通したコースの基本教育理念とカリキュラムのプリントに、ウィリアム・モリスの名前を見つけたときには、少なからず驚いた。モリスはイギリス人ではあるが、彼の自国での位置づけとか、現代における評価のことは考えてもいなかったのだから。

その箇所は、一年生で学ぶ美術史——私たちの場合はデザイン史だが——のところにあった。要約すると、「ジョン・ラスキン（モリスに多大な影響を与えた思想家）とウィリアム・モリスの影響によって起こったアーツ&クラフツ運動がもたらした、イギリスにおけるデザイン理論の抜本的変換について、詳細に学ぶ」

事実、デザイン史の最初の授業は、ウィリアム・モリスから始まった。つまり、今のイギリスでは、現代のデザインはモリスから始まったと見なされている、ということだ。

「モダン・デザインの父」となる定義は、ニコラス・ペヴスナーというデザイン・美術史の研究家によって、一九六〇年代初めにははっきりとなされている。外国人の私が、もう少し詳細にいえば、「特にイギリス」のモダン・デザインの父ということだ。それも多分にユニークな。

というのも、壁紙や布のデザインは、人気や質の高さはあっても、本来デザインの主流とはいえないからだ。それは今も、モリスが生きていたヴィクトリア時代も同じ。生活の美を提唱する彼の考え方も、当時はかなり斬新かつユニークなものであったのも確かだ。そんな感じで、ウィリアム・モリスとばったり再会して、点で興味をもっていたことを、デザイン史の視点から、線で学びはじめたのである。

クリスマス休暇の前に、宿題の論文のタイトルがいくつか発表になる。休みあけに提出する三千語程度の小論文だが、私はその中から、「ウィリアム・モリスとアーツ&クラフツ運動との関わりについて、具体的な作品をあげて論ぜよ」というのを選んだ。

休暇中にうんうんうなって書き上げた。入学試験の面接のおりに、一カ月待ってくれ、と頼んだモリスについての論文を、八カ月遅れでやっと提出したことになる。

この小論文では、椅子という、日本の家具の歴史にはほとんど登場しない、西洋的なアイテムを選び、モリスに影響を与えたもの、モリスが影響を与えたもの、について論じた。といっても、モリス自身は椅子のデザインをしておらず、モリス・チェアというのも、彼の設立した会社のデザイナーの作品ではあるけれど。

これで私は、七六点という評価をもらった。ヘレナの八十点に次いで、二番目にいい成績だった。もちろん英語の文法的間違いは評価に入っていない。私の点を知った何人かの同級生は、異常に驚いて、確かめにきたりした。ほうらね、私は外国人というだけで、頭の足りない人間じゃないのよ。また少し、落ち込みから回復してきた。興味があって、ある程度の予備知識もあったのは、モリスに関してだけだから、最初の論文で、このテーマが使えたのは本当に、運が良かった。というのもその後、私にとっては、ほとんどが未知かつ無知のテーマが始まって、その後いくつも論文を書いたが、まだあの点よりいい点は、とれていないからだ。

それにしても、私の落ち込みを救ってくれたひとりが、ウィリアム・モリスだったとは。うれしくも運命的な再会であった。

同級生たち

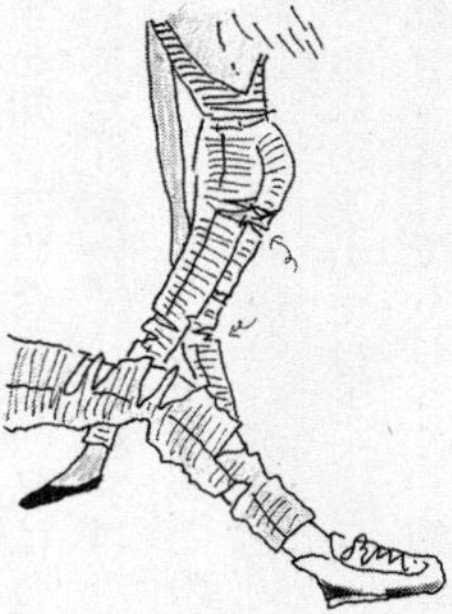

「ハーイ、やっぱりレイコじゃない。後ろから見て、そうじゃないかなって思ったけど、髪が短いんだもの。切ったのね。よく見せて。まああ、あなたって小さな女のコみたいに見えるわ」

夏休みが終わって、三年目に入った日のことである。私が小さくなったのではなくて、あなたが大きくなったんじゃないの、ソニア。

ソニアは、インドとイタリアのハーフで、国籍はイギリス。最年少の同級生である。彼女はAレベル取得後、基礎コースをとばして本科に来た。しかも八月生まれで、入学の直前に十八歳になったばかりだった。

落ち着いて見えたし、まさか十八歳も年の差があるとは知らなかった。ある日、キャンティーンで向かいに座っておしゃべりをしていたとき、年齢の話になって、おたがいの年を知ったのだった。私はちょうど三六になったばかりで、ふたりして驚いたのはいうまでもない。しかもソニアは、「私の母は三八歳よ」という。再びおののく。私、ソニアのおかあさんとたったの二歳違いだなんて。

その時に入試の面接の話が出た。ソニアの場合は開口一番、例の試験官たちに「残念だが、きみの実力ではとてもこのコースにはついていけそうもない。入学は無理だ。基礎コースにでも行って、勉強してからまた来なさい」といわれたそうだ。ところが、それで終わりではなく、延々二時間、面接が続き、ソニアは果敢に耐え抜き、自分の意見を堂々といった。それで二週間後に合格通知が届いたときには、半信半疑だったという。これも試験官たちの常套手段だったようだ。

さてそのソニアは、デイヴとカップルになり、二年生で寮を出てから、他に男一名、女一名の友人と共に、フラット・シェアをしている。フラットの規模によって違うが、個室とバスルームの数から三、四人のシェアは、割りと多いようだ。たいていの場合、男だけ女だけというより、男女混合である。それはなにもカップルとはかぎらない。気の合う友達どうしの男女の場合も多い。

　仲が良くても、シェアしてみなければわからないこともあるし、ケンカしたり、恋人ができて一緒に住むことになったりして、引っ越しもよくある。構内の掲示板に、フラット・メイト募集の広告が出ていることもある。

　イギリスでは十六歳で義務教育が修了するが、日本と違うところは、その時点で七割ぐらいが仕事に就くことだ。大学へ進む人は一割に満たないと聞いた。だから十六歳になれば、一応一人前とみなされ、十八、九ともなれば、ロンドンに家があっても、親と同居している人がぐんと減る。独立して友人や恋人とフラット・シェアして住むのだ。ほとんどの学生たちは、学費はもとより、学期ごとに数百ポンドの援助金を国からもらっているので、独立もしやすい。

　友人とにしろ恋人とにしろ、誰と住んでいるか、親に内緒という人は聞いたことがない。日本とどこが違うか、というと、親の態度が違う。十八歳以上の子供のプライバシーは、本人にまかせて、口は出さない。そのかわり金も出さない。でも日本のように、手軽なアルバイトの口はそう転がっていないので、同級生たちの多くは、ほんとにお金をもっていない。それでも服も本も遊びも、知恵と創造力を働かせて、手に入れて楽しんでいるようだ。

住居のことは、例えば日本だったら、男女が、個室はあっても、鍵をかけるわけではなく、バスルームと居間を共有してひとつ家に住んでいれば、何もなくても何かあるにちがいない、と詮索されるのが落ちだろう。文化の違いか、宗教の違いか、こちらの人間は、自分が割り切っているから、他人が誰とシェアしていようと、疑ってかかったり、詮索したりもしない。特に女性にとってはラクである。こういう男と女の対人関係を知ると、目からウロコが一、二枚は落ちる。

ところで、学校の入学時にもらう外国人学生向け案内書の健康管理のプリントには、イギリスの気候・食べ物から始まり、医者のかかり方、薬の入手方法、そして最後にセックスについて記載されている。ざっとこんな風だ。

「たぶんイギリス人のセックスへの考え方は、あなたの国のそれとは異なっているのではないかと思います。イギリスでは、恋愛関係とセックスは、切り離せないことが多いのです。しかしもちろんそれは個人の選択の問題ですが。あなたは、あなた自身の規範に従って生活する自由がありますし、この国の一般的な状況に適応しなければならないということではまったくありません」

もちろんエイズ予防法と、避妊具の入手の仕方アドバイス付きである。

十六歳違いの同級生たちは、十九、二十歳にして、大人としての自由と責任を負って、生活しているのである。誰と住もうが、恋人をもとうが、どう付き合おうが自由である。しかし、それに伴う責任は自分で負う。甘えは許されない。親に頼らないぶん、余計恋人や友人の存在は大切になってくる。

だから、これらがうまくいかないとき、タフに見える彼らの、意外なモロさを見ることもある。まず、恋人や友人を失ったショックで、精神状態が不安定になって、学校へ来なくなる。どんどん進む課題についていけなくなる。方向を失う。落第する。あるいは、コースの同級生たちのほとんどが、ヘドが出るほど利己的でいやだ、と適応できないで、学校を辞めたい、替えたい、となる。

意外にモロいのは、現地の学生のようだ。数が多いということもあるが。コースの約四分の一を占める外国人（といってもEU諸国の人がほとんど）は、わざわざ留学してくるぐらいだから、一体に目的意識がはっきりしていて、食いついてきている。

ソニアやデイヴ、トレヴァを含めて、何人もが一度は落ち込み、拒否し、逃避願望に陥った。彼らはそれぞれキラリと光るものをもっている、と私は思っているけど、

主に16歳違いの同級生たち、
いろいろ
ポールは長い金髪が自慢。いつも髪がひきたつ黒い服をまとっている
Naughtyなコは わざとあちこちやぶって着る
大胆な背中アキのトップを着るには小麦色に日焼けしていなければ、とがんばって焼きまくる
ここをやぶいている
ジーンズのショートパンツに黒いタイツが似合うトレヴァ 最近は赤いタータンチェックのタイツもお気に入り
デイヴに ナルシシスティックの意味は何かときかれてびっくり 今までその意味を知らずに生きていたとは！

イギリスの少年少女の足の典型は
太ももから足首まで完全に
同じ太さ。黒い厚手のタイツを
女のコははく

ヘレナは紺のカーディガンに
白いブラウスなんていう
保守スタイルがよく似合う

お買い物はイギリス人好みの定番が豊富な
Marks & Spencerで

ソニアは最年少の18歳
でもすごく大人っぽくて雰囲気がある

メラニーはキュートな
パイナップルみたいなヘアが
よく似合う

一部の早熟な同級生たちみたいな自信とノウハウをもつところまで行っていないので、努力がなかなか成績に表れない。それで迷ったり、悩んだり、落ち込んだりしているようだ。プライベートな悩みがあると、余計ぐらついたりもする。そこが、自分に自信をもちすぎている人たちよりも、ずっと好感と共感をもてる理由である。

しかし、彼らはやはりタフだった。最近、ずっと出席率が良くなったし、前よりいきいきとしてきた。私と同じく、ひと山越えたな、という気がしている。

さて、今では何でも話し合える親友のヘレナのことを、忘れるわけにはいかない。彼女は、私より八歳年下。大学で国語(英語)と美術史を学んだ後、秘書としてサザビーズで働いていたが、私と時期を同じくして一念発起し、このコースに入学したのだ。

私がヘレナの存在に気がついたのは、呆然自失状態が続いていた頃。ふと顔を上げて、回りを見たら、もうひとり呆然自失して、ぼーっと机に座っている人が、目に入ったのだ。それがヘレナだった。彼女も基礎コースをやらずに、直接本科へ来てしまい、勝手がわからず、また年の違う同級生にとまどっていた、というわけだ。ヘレナはふたつ目の学位コースなので、奨学金をもらえず、同じように資金難で困っていた私と一緒に、先生にかけあって、三年生を飛びこして九二年に四年生になった。ただ企業研修レポートを出さなければならないので、彼女は夏休み中デザイン・スタジオで働き、私は二年間にやったフリーランスの仕事をかき集めて、認めてもらったのだ。

今は飛び級して、新しい十五歳違いの同級生たちと一緒にやっている。早くもあと一年で卒業だ。まだ試行錯誤は続いているし、言葉も状況把握も、二十年以上現地にいる同級生たちより、ワンテンポは遅れるが、六月のディグリー・ショウ（展示発表会と最終成績審査を兼ねたもの）を目指して、苦しみ楽しみたいと思っている。

一カ月の生活費

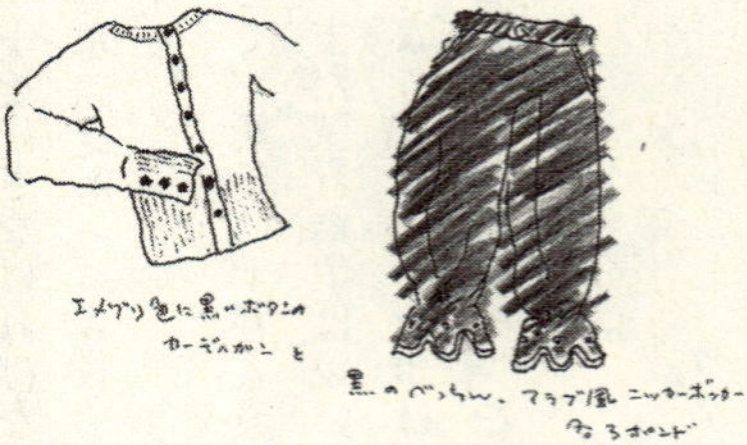

さて、今ロンドンで苦学生をやるには、いくらかかるか。苦学生というからには、少なくとも人の援助なしに、すべて自費で賄うという前提つきだが。

学費。これが泣ける。学校によって多少の違いはあるが、私が入学した九〇年には五六〇〇ポンド（一ポンド＝当時で二五〇円として、百四十万円）。二、三年目には五七五〇ポンドに値上げになった。イギリス人の学生の学費は一応千数百ポンドだが、両親の収入が余程多い人を除いては、ほとんど無料で、しかも学期ごとに数百ポンドの奨学金までもらえる。ＥＵ諸国の学生たちの学費はイギリス人のと同じ。ただし英国政府からの奨学金はもらえない。では全額払っているかというと、ちゃっかり母国やEUから奨学金をもらったりしている。この不公平については、何の恩恵も受けられない中国、スイス、オーストラリアなどの学生たちとこぼしあうのだが、好き好んでこの国に来たからには仕方がない。こういう措置を決めた、サッチャー政権を恨んでも、もう遅いってものだ。だから、マンションの頭金を返金してもらい、学費に当てている私の、学校に対する入れこみ方がはげしいのも当然といえる。

生活費。カウンシル・フラットに住んでいた頃の家賃は、家賃が雑費込みで月平均一八〇ポンドぐらい（四万五千円）で助かったが、今は、月平均二九〇ポンドで、約七万円強。高いとはいえないが、けして安くはない。

絶対に削れない必要経費は、まず交通費。ゾーン2に住んでいるので、月の定期代が四二ポンド弱。郵便・電話・FAX代が五〇ポンド弱。これでもBTより安いマーキュリーと契約して、使用明細をもらって自分の使い過ぎがないかチェックしているが、消費税の十七・五パーセントも痛い。

それから画材代。これがバカにならない。普段は二〇ポンドぐらいだけど、各学期末の追い込みには一〇〇ポンドに到達することもある。コピー、紙・布類、写真のフイルムにシルクスクリーン用の下絵を描くアセテートフィルム、印画紙、スケッチブックにトレーシングペーパー、絵の具、オムニクロム紙など限りがない。

では、どこが苦学生なのか、何を削っているのか、というと、食費特に外食費、娯楽費、服飾費であります。まず食費は、基本的に外食はしない。しても月に一度程度、一〇ポンド以下に限る。出来合いのものは高いし、栄養も味ももうひとつなので、なるべく自分で作って、昼はお弁当をもっていく。学生食堂《キャンティーン》でお弁当を食べてもいいので、持参したマグカップにお湯だけ五ペンス（約十円）で買う。これは使い捨てのコップを使わないためと、もうひとつ、自分のマグカップのほうが一・五倍ぐらい大きいためである。そしていつもミントやブラックベリーのティーバックを、持ち歩いている。これでかなりの節約になる。ここまでやっている学生は、そういない。多くはお弁当を作るのが、面倒くさいからのようだ。ここまでやると、食費は月七五―八〇で済む。日本より食品は安いのだ。

娯楽費。映画のロードショウは基本的に観ない。語学学校の頃は、レパートリー・シネマに二、三本だて二ポンド五〇ぐらいのを、ミリアムの影響で観にいったりしていたが、最近は、友人の友人のものという時代物の白黒テレピを借りることができ、家で見るようになったら、ニュースとバラエティ、コメディ中心になった。長時間見ていられないのは、あまり音声の調節がきかないのと、雑音と砂嵐が入るので、頭がすぐに痛くなるからだ。夜遊びはとうの昔に卒業したし、明日のために、今日もしっかり眠らねばという毎日なので、安上りである。病気をしない健康管理をするのも、安上りに暮らす秘訣だろう。

それから、最近タダの催し物を見つけるのがうまくなった。特に夏場は、コンサート、パフォーマンス、お祭りといろいろタダで楽しいことがあるので、うれしい。

服飾費。これを使うと使わないとでは大違いである。基本は買わないこと。慣れれば簡単だ。第一、美術学校生になったので、新しい服はたいして必要ではない。きちんとした服を着る機会も、年に数度である。とはいっても、やっぱり目先の変わったものが着たくなることがある。そういう時は、近所の週末の古着市へ顔を出す。定期的に通っていると、だいたいの相場と自分の趣味の服を揃えている店の見当がついてくる。

そうやって私が買ったいちばんの高額商品は、二年前のことだが、表が黒、裏地がえんじ色のコットンの大きくてあったかいコート。冬になると学校へ毎日着ていく。

これは新品だった。今いちばんのお気にいりは、エメラルド・グリーンのラムウールのカーディガンと、黒のべっちんのアラブ風ニッカーボッカーで、各三ポンド。一番安いのは、三〇ペンスで買ったブラウス。ネクストので、織り糸が光の具合でグレイに見えたり、茶色に見えたりする。さすがに下着は、デパートのバーゲン時期を狙って、新品を買いにいく。服飾費は、過去一年間で見ると、月平均一・五ポンドだった。

美容院は、二カ月に一度、家でシャンプーして、近所のインド人のおじさんの店に行き、前髪だけ四ポンドでカットして、梳《す》いてもらう。四カ月に一度は贅沢をして、シャンプーと後ろの髪も切ってもらう。先日はタダのカットモデル募集の情報を得て、久々に徹底的に切ってもらった。

他にはコインランドリー代が欠かせない。半年に一度は歯の定期検診料がいる。プール、たまにお金のかかるギャラリーに行くことも。本は極力図書館で借りる。雑貨類はどうしても必要なもの以外は、買わない。それから、化粧品は、こちらは乾燥するので、クリームは絶対必要。友達のメラニーから、安くていいのを教えてもらった。

今どきの苦学生生活は、まあこんな感じである。基本的な生活はエンジョイできているし、この年で学生やれてるのだから、自分では贅沢な苦学生だと思っている。それに、お金の価値について、考えなおすこともできてよかった。

生活費は、貯金を切り崩しつつ、また小さい記事やイラストをかいたり、広告のマンガを描いたり、こちらが農閑期のときは、通訳のアルバイトをたまにしたり、前はリリーの散歩、一回一ポンド五〇っていうのもやったな。今はワープロオペレーターもしていて、自称七つの顔を持つ女、である。

日本では絶滅したと思われているかもしれない、この苦学生とその異種、変種は海外にはまだいる。これは口に出さずとも、会えばわかるのだ。先日通訳のアルバイトをしたおりに、パリから来ていた元（今でもかな）苦学生のカメラマン氏は、身分不相応なホテルの部屋にあったというモモやネクタリンを、鞄につめていくようにともってきてくれた。食費の足しに、というわけだ。この感覚は苦学生をやった人間にしかないものだ。本当にありがたかった。

そう、苦学生はまだ絶滅してはいない。そして、今どきの苦学生は意外に楽しい。でも私は、まだ甘いのかな。

イートン・アベニュー。この通りは
建物も並木もどっしり大きい。

PART 3

春夏の楽しみ方

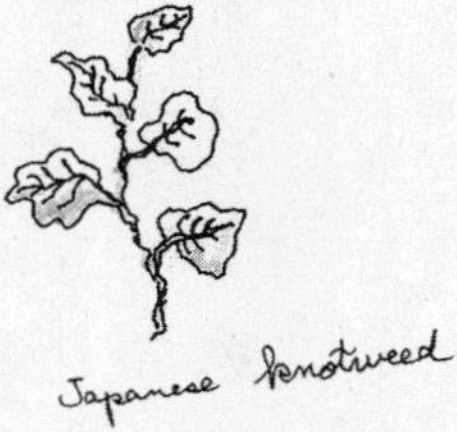

庭園まわり

イギリスの庭園は『秘密の花園』。子ども の頃に読んだバーネットの物語そのままの世界。ツタのからまる、背の高い赤レンガ塀の向こう、ツゲやイチイの生け垣に厚く囲まれた、その向こう。かぐわしい香りと、ミツバチの羽音が、私たちを誘う。

赤レンガ塀のあいだにひっそりとある、小さな木の扉をあけ、あるいは生け垣を回って、狭い入り口を見つけ、一歩足を庭園に踏みいれると、そこはもう楽園。

三月下旬、夏時間が始まる。公園や道端、庭の緑は芽吹き、スプリングクロッカス、デイジー、タンポポと、つぎつぎに可憐な花が咲きはじめ、バラはつぼみをつけはじめる。鳥は歌い、日暮れはどんどん遅く、太陽はますます明るくなり、長い冬が終わったのだなあ、としみじみとうれしく、心躍る季節がやってくる。

その喜びを友や愛する人々とともに、わかちあう場所は楽園、そう庭園なのである。

庭園はあらゆるところにある。広大なキュー・ガーデンから、ひっそりとした個人の庭園まで。庭園の本は、ロンドンの書店はもちろん、日本でもいい本が出ているので、詳しくはそちらにゆずるとして、私は、ある園芸家とその庭のことを、話してみたいと思う。

ヴィータ・サックヴィル・ウェスト（Vita Sackville West 1892-1962）、詩人、作家、そして園芸家。同時に古い家柄の貴族として、またヴァージニア・ウルフをはじめ、数々の男女とのスキャンダルでも知られる女性である。

もう数年前になるが、ＢＢＣテレビで“Portrait of a Marriage”（『ある結婚の肖像』）というドラマ・シリーズが放映され、話題になった。これはヴィータの息子ナイジェルが書いた同名の本のドラマ化で、夫や家族のうろたえを尻目に、女性と手に手をとって、愛の逃避行をくりひろげる奔放なヒロインとしてのヴィータに焦点が当てられていた。

しかし私は、そのドラマのラスト・シーンを忘れることができない。老年になったヴィータが、夫のハロルド・ニコルソンと一緒に創りあげた庭園で、仲良くふたりベンチに座っているシーンである。彼らの居城、シッシングハーストの高い塔が見える。あれは城の庭の中でももっとも美しい場所、白い花だけを集めたホワイト・ガーデンだった。

ヴィータは、自らが創りあげた楽園に、戻ったのである。

ケント州クランブルック（Cranbrook）にほど近い、緑の牧草地帯。なだらかな丘の上に、このシッシングハースト城がある。現在はナショナルトラストの管理になっているので、夏時間のあいだはだいたい、誰でも訪れることができる。

まずは塔の上から、庭の全貌を眺めてみよう。とにかく広い。庭の向こうには緑が広がっているので、よけい広々として見える。庭はツゲやイチイの生け垣でいくつもの小部屋のような庭に区切られ、そのひとつひとつが、違ったテーマのもとに構成されているのがわかる。

左手にはホワイト・ガーデン、正面は広い芝生、イチイの樹々の小径の向こうは果

シッシングハースト城の塔から見る景色。

樹園。そしてお堀。右手にはローズ・ガーデン、田舎風のコテッジ・ガーデンがある。ローズ・ガーデンとコテッジ・ガーデンとを結ぶライム・ウオークと呼ばれる菩提樹の並木道は、貴婦人たちが散歩のおり、直射日光に当たらないようにと、考え出された涼しい風の通る道である。その向こうには、古い壁を生かした庭のナッタリー、そしてハーブ・ガーデン。

何がどう植えられているか、百聞は一見にしかず、というしかない。私の表現力ではとてもいいつくせない。ただいえるのは、イギリスに素晴らしい園芸家は多いけれど、ヴィータ以前と以後とでは、この国の家庭の庭に植えられる花が、ずいぶんと違ってきたという事実。彼女の文筆家としての才能あっての影響力だろう。

本業の作家、詩人としての自分の才能を悲観していたヴィータだが、ついに出したロングセラーが、一九四六年、五四歳のときから十五年間、なくなる前年までオブザーバー紙に連載していた園芸の記事である。

ヴィータ独自の趣味とセンス、それに園芸仲間や読者のアイディアなども散りばめられたエッセイは、庭を愛する英国の家庭での、日曜日のお楽しみになった。ゆったりとしたブランチのテーブルで、十五年間にいったいどれほど多くの話題にのぼったことだろう。

目立たない野の花をいつくしみ、昔風の田舎の庭に咲いていた花をよみがえらせ、自然で心地よい庭を一貫して、提案し創造していった彼女のエッセイは、"In Your Garden"（『あなたの庭で』）シリーズとしてまとめられ、何冊もの本になっている。少し前、古本屋街のセシル・コートのウインドウで、ひょっこりこの本に出会ったことがあった。また、一九九六年には復刻版が出版された。

シッシングハーストの庭の魅力を、ひと言で表現すれば、夫ハロルドの緻密な計算によるフォーマルな設計と、ヴィータが選び、組み合わせた植物の、創造的かつ意図的な無秩序との調和であろう。

ここで、古い家柄の貴族であるヴィータの背景と、シッシングハーストとの出会いのことも少し。

ヴィータの最大の悲劇は、女の子として生まれた瞬間に始まった。たった一人の子供だったにもかかわらず、父三代目サックヴィル卿（称号はLord）の後を継いで、四代目になり、居城のノール（ここも今ではナショナルトラストの管理になっていて、一般公開されている）を相続する権利を永遠に失ったからである。

しかし、もしヴィータが男の子に生まれていたら、無事に三六五室あるというノール城を継ぎ、平凡な（？）貴族として一生を送ったかもしれない。というのも、相続権がないという単純な事実が、彼女の生涯を通じて、自分の城を所有したいという、強迫観念にも近い願望と情熱になって、シッシングハースト城との運命的な出会いへとつながっていったのだから。

なぜシッシングハーストとの出会いが運命的だったかというと、歴史を四百年ほどさかのぼらねばならない。

一五八六年、エリザベス一世からノール城を賜ったサー・トーマス・サックヴィル。名字から見ても、明らかにヴィータ直系の祖先である。そのサー・トーマスが更にさかのぼること三二年、一五五四年になんと、シッシングハースト城の持主だったサー・ジョン・ベイカーの娘セシリーと結婚しているのだ。ヴィータは数えて十三代目に当たる。ノール城を失ったヴィータがどうしてもシッシングハースト城を手に入れたかった理由が、はっきりする。

不幸にもサー・ジョンの息子の代から長い間、打ち捨てられたままで、十八世紀のフランスとの七年戦争のおりには、捕虜収容所として使用されたことさえあるシッシングハースト城が、売りに出されているのを、一九三〇年の春、ヴィータは知る。さっそく訪れ、住む人もなく、荒れ果てていたこの城と庭に、一目惚れをしてしまう。

「城を一目見たとたん、私は恋におちてしまった。長い間手入れをされることもなかった城の庭は荒れ果て、まるで眠れる美女の庭を思わせた。庭が、助けを求めて悲痛な叫びをあげるのが聞こえるような気がした。その時すでに私は、この眠れる美女の庭をどうやって立て直すか、そしてよみがえった庭がどんなに美しいかを、想像しはじめていた」(The Journal of the Royal Horticultural Society, 一九五三年刊より抜粋)

実際に住めるようになったのは、二年後。城の修復と庭作りには、その後もかなりの人手と資金と年月を要したが、死を迎えるまでの三十年間、ヴィータにとって、ここは楽園であった。

初めてヴィータが訪れたとき、歓迎するように咲いていたというガリカ種のバラは、彼女がいなくなった今も、訪れる人々を歓迎するように咲いている。

楽園はどんなところ?

それはガーデン

樹々とハーブの園
楽しさにあふれ
喜びだけがありました
　　ウィリアム・ローソン
（『サラ・ミッダのガーデンスケッチ』橋本槇矩訳　サンリオ刊より引用）

ファーストフード

ロンドンには、ファーストフードの店が多い。種類も日本より、ずっと多いのではないだろうか。ただし、私が好きなのは、世界中どこでも同じ顔をした、巨大資本のハンバーガー屋では、断じてない。

例えば、きれいに盛られた具を並べているサンドイッチ屋さん。注文すると、手早くバターを塗って、具をはさみ、トンとふたつに切って、紙に包んでくれる。

それからフィッシュ&チップスの店。揚げたてのポテトチップスとタラに塩とビネガーを景気よく振って、行儀はあまり気にせずに、食べる。

インド人の店のコロッケみたいなサモサや、タマネギのフライ。大好物だ。でっかいピザや、アラブ系のケバブも大好き。中華のハルマキやヤキソバだって屋台で買える。最近はスシや、日本式のお弁当を売っているところもある。先日イーストエンドのマーケット広場で食べたハーブがたっぷり入ったソーセージとタマネギのホットドックもやけにおいしかった。

こういうファーストフードが好きなのは、安くて早くておいしいことはもちろん、手軽に買って、近くの公園やベンチで、ちょっとしたピクニック気分を味わいながら、食べることができるからだ。『完全なるピクニック』という本まで出ているけど、そこまできばらなくてもいいしね。

私はすっかり、このピクニック気分のランチやおやつに慣れてしまって、たまに東京に戻ってみると、いかに緑地とベンチがないか、改めて気づかされるようになった。外に出ていて、ちょっと何か食べたい、一休みしたいという時でも、どうしても、店に入って席代を払わなければならないようにできているようだ。

ところで、ハムステッドの街には、私の好きなフィッシュ&チップスの店も、嫌いなハンバーガー屋もない。前者は、労働者階級の食べる物だから、ポッシュなこの街には合わない。後者は、安っぽい大量消費文化を象徴するものだし、街の美観と特徴を損なう、などという理由らしい。代わりにフランス風クレープの屋台があって、繁盛している。

それが九二年になって、十二年間の裁判の後、地元反対派の訴えをようやく退け、ハムステッドにマクドナルドができることになった。マーガレット・ドラブルやグレンダ・ジャクソンと同じく、私も反対だったのに。しかしがっかりしていたのも束の間、思わぬ新聞記事を見つけた。

マクドナルド用の場所が、シカゴからやってきた若者たちのスクワッターたちに、不法占拠されてしまったのだ。彼らはすでにそこをアートや、アクセサリー、雑貨の店にしてしまったという。再び裁判沙汰か？　少なくとも開店の時期が延びることは、避けられない。がんばれスクワッター（残念ながら、すでに彼らは追い出され、店はとっくにオープンしてしまった）。

というわけで、ロンドンのファーストフード繁盛記、ならぬ騒動記になってしまったが、カムデンをはじめ、週末に大きなマーケットがたつ場所には、エスニックな服や小物と共に、いろんな国のファーストフードを売る屋台も出る。目新しい味、おいしい味を求めて、街に出てみよう。

ただし昨今は、便利で安いハンバーガーや、フィッシュ&チップス、チキンなどを主食としているホームレス（街頭生活者）で、栄養の偏りやビタミン不足などの、切実な問題をかかえている人たちも多い、とはホームレス援助のための雑誌「Big Issue」で見たレポートである。

運河の旅

日常生活が大好きな私だけれど、たまに、旅人の気分になってみたいな、と思う日がある。たとえば、雨ばかりが続いたあと、突然にやってきた輝く初夏の朝なんかにね。

うれしいことにロンドンには、身近に旅人気分になれる場所がある。そこで、友だちを誘って、さっそくやってきたのがリトル・ヴェニス。地下鉄に乗って、たった七つめで「小さな」ヴェニスに着いてしまうのだ。駅から五分も歩くと、屋形船っていうのかな、カラフルな船がのんびり浮かんでいるリージェンツ運河へ出る。

なんだか不思議な光景。ここだけロンドンじゃないみたい。やっぱり小さなヴェニスだ、などと、ヴェニスには行ったこともないのに、妙に納得してしまう南の国の雰囲気だ。運河沿いに歩くと、バラとスイカズラが香る木戸の向こうに、Jason's遊覧船の乗場が見えた。

午前十時半の船は出たばかりで、十二時半の切符をカムデンロックまで片道買う。実はカムデンロックのほうが、うちからずっと近い（歩いても三〇分くらい）のだが、旅人気分になるには、ちょっと近すぎるので、旅のはじまりはリトル・ヴェニスにこだわったという訳だ。

前もって予約しておくと、船で本格的な食事ができる。私たちのように、ふらりと行っても、サンドイッチなどの軽食は注文できる。売店でそれぞれ好みのサンドイッチや飲物をお願いしておいて、船に乗って待っていると、係の人が、私たちが注文したクリームチーズとキュウリ、スモークサーモン、コールドチキンとレタスなどのサンドイッチを、籐のバスケットに敷いた赤いナプキンの上に、かわいく盛りつけて、ラガー（ビール）と一緒に届けてくれる。

これで、準備は万端。さあ出発。

姿は見えないガイドさん（たぶん上にいる）の説明が流れる。そして、船はゆっく

運河めぐりの遊覧船。青・白・赤を基調に、
黄・黒・緑を加えたカラフルな配色。

りと運河を流れていく。このリージェンツ運河は、十八世紀から十九世紀にかけて、運河がたくさん建設されたもののひとつらしい。イギリスが産業革命に沸いていたころ、運河は荷物を運んだりする重要な交通路だった。これらの運河なしには、イギリスの繁栄はなかったとまでいわれている。それも今は昔。私の目の前には、遊覧船がゆっくりと行きかう、静かな空間が広がっている。

岸に沿ってずっと、個人の持物らしい屋形船が並んでいる。きれいなブルーやグリーンに塗って、バラの花を描いたり、丸い船窓に白いレースを飾ったり、ロンドンの街で見る色よりずっと鮮やかだなあ。

屋根の上に、たくさんプランターをおいて(これにも絵がいっぱい)、いろんな花を植えている船もある。日焼けした、元気なおじいさんが、船に腰掛けて、足を水の上にぶらぶら遊ばせながら、サンドイッチを食べている。こちらに向かって手を振ってくれた。久しぶりの晴天で、上半身はだかになって、船のペンキを塗りなおしている人もいる。船に住んでいる人もけっこういそうだ。

岸辺では、子どもと大人と一緒になって、釣りをしている。のんびり日光浴をしているひとたちもいる。船のなかを、涼しい風が吹き抜けていく。

いくつもの橋の下を通り、長いのや短いトンネルを抜け、左手に広い広い庭園を眺める。あ、今度は、向こうからやってきた遊覧船とすれちがった。三〇分ほどで、右手にロンドン動物園が見えてきた。動物園の先で、船は左に曲がる。ゆっくりゆっくり。

船のなかで追加注文したラガーが、おしまいになるころ、にぎやかなカムデンロックに到着。小さな運河の旅が終わる。

イギリスには夏がない、と聞いていたけど、少なくともわたしがやってきた三年前から、温室効果かなにか知らないけど、この国にも夏が来ている。

太陽に飢えているイギリス人とか白色人種系の人たちは、こんな日が来ると、せっせと日光浴に励んでいる。あせって急に焼き過ぎて、まるでピンクのブタみたいに見える人たちもいる。そこへいくと、あせって焼いている黒人の人たちは、見ないなあ。

ほんとに、ロンドンではまだ、太陽が輝く夏の日がきたというだけで、日常じゃなくなる感じ。私にも、いつのまにか、そんな気分が伝染したのかもしれない。

輝く太陽と風にゆったりと揺られたリトル・ヴェニス発運河の旅は、私の気持ちをスキッと新しくしてくれた。そう、これを日常生活のスパイスって、いってもいいな。

カリブ人の夏祭り

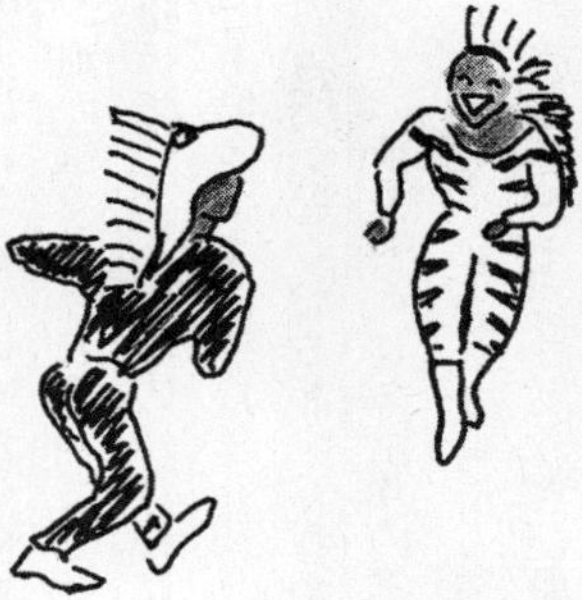

毎年八月になると、ポートベロのアンティーク・マーケットで知られるノッティンヒル・ゲイトが、突如としてカリブの街に一変するときがある。それは、夏祭りノッティンヒル・カーニバルの日。

今年（九三年）で既に二八回目を迎えるこのお祭りは、西インド諸島といわれるカリブのバルバドス、ジャマイカ、トリニダードトバゴなどから移民してきた人々の、伝統的で陽気な夏の催しである。スチールバンドが演奏する元気な音楽にのって、すごく派手で楽しい、揃いの衣装に身につつんだグループが、何十組もポートベロ一帯の街を踊り歩く。沿道の見物客もただ見ているだけでなく、気にいった音楽やグループを見ると、あっというまに踊り手に変身したりする。

最初は友人に誘われていったこのカーニバルを、私は大好きになって、毎年八月が近づくと、血が騒ぐようになってしまった。最近では、急に思い立つと、ひとりでさっさと出掛けていく。近所のバス停には「ノッティンヒル・カーニバル経由」のバスのお知らせも貼ってある。

お祭りの場所が近くなるとすぐわかる。あちこちから、かんだかい笛の音が聞こえてくるからだ。ポートベロあたりの雰囲気が、いつもと違うのは、黒人の姿が圧倒的に多いからだろう。沿道にズラリと並ぶ飲食物や衣類の露店の売り手も、黒人が多い。カリブ直送と思えるさとうきび屋もあって、このくらい、と指さしてお願いすると、その場で、竹のような茎から皮をナイフでそいで、甘いというより青い香りのさとうきびを渡してくれる。

この日ばかりは、曇っていてもロンドンの色がくすんで見えない。踊り手だけでなく、観客も十分派手なんだから。観客のヘアスタイルやおしゃれを眺めているだけでも、楽しめる。

さて私は、道路の中央分離帯に陣取り、笛売りおじさんや踊り手（マスカレーダ

ノッティンヒル・ゲイト・カーニバルのひとコマ。

ー）の写真を撮り、時には踊り、知らない人としゃべったり、口ゲンカをしたりと、けっこう忙しい。それでも、これだけの群衆なので、一応警官たちの目の届く場所を確保している。夜は、アルコールが入って騒ぎがエスカレートすることもあるので、友達が一緒でもまだ行く勇気はない。

さあ、次なるマスカレーダーたちが近づいてきましたよ。私がいる場所は、なだらかな坂の中腹なので、見晴らしがとてもいい。このグループは、白一色。チョコレート色の肌に、くやしいぐらい白が映えて美しい。おりしも雲が消えて、空に澄んだブルーが広がってきた。近くで見ると、ちょっとインディアンの衣装を思わせるデザインだったが、お祭りも二日目になると、先頭を行く子どもたちの顔が疲れている。ブーたれているといってもいい子どももいる。最初ははしゃいでいたのだろうけど、ね。

猛獣や蝶などに扮装しているグループ、美しいドレスのグループ、コミカルなグループ、それぞれに伝統的な役割とか意味があるようだ。最近では、新興宗教とか、自然保護風のグループも加わっている。

二日目の月曜日（この日は祭日にあたる）には、趣向をこらした衣装の中から、カーニバルの王と女王が選ばれるという。

もうひとつ、このお祭りに忘れてはならないのは音楽。お祭りが目に入るだいぶ前から聞こえていた笛の音は、この音楽に参加するいちばん手軽な楽器なのだ。ワン・ノートといわれる、単調なリズムの繰り返しだから、だれでもが笛ひとつで、演奏者にもなれる、というわけだ。この笛は、赤や緑、金などの派手なリボンつきで、あちこちで売っている。この笛の役割は、ドラムのそれと共通する。南米などでは、スプーンふたつもって参加していたんですって。

夜に酒飲んで、厚化粧して、耳のいい人間には拷問に近い音量のもと、酸素が欠乏している上にタバコの煙りで吐き気がする、暗い箱の中で踊るというコンセプトが大嫌いな私だから、昼間、十分な酸素と太陽のもとで、適度な喧噪と音楽に身をゆだねて踊るのが理想である。できれは、建物のあいだではなく、大自然の中で踊りたいけど。

さて、スチール・バンドが乗ったトラックから聞こえてくるのは、ラップであったり、レゲエであったり、はたまたハウス、サルサであったりする。最近では、レゲエから派生したラガと呼ばれる音楽が人気という。ラガに合わせて踊るのは、ボグル。

ロンドンのノッティンヒルゲイトがカリブの街に変わる日
おどるゼブラ
おどるライオン
おどり疲れてグーたれてる
ヒョウ役の子ども
まっ白いインディアン風衣裳
金のししゅう入り
Notting Hill Gate
Carnival in August
ワイヤー入りスカート
手を放すとこうなる
鮮やかな黄色とオレンジの
ドレスがすごく似合っていた
少女

赤ムラサキのバンダナの
スチールバンドの男
人波から突如
あらわれた すごい美人
早速かかったナンパの声を
意にも介さず去っていった…
Notting Hill Gate Carnival
in August
いつも笛を吹いている
フエ
フエ
フエ
人を食ったまん丸サングラスに
白いTシャツ。まっ赤なダボダボ
タンクトップ。このお祭りには
欠かせない笛売り
頭に色とりどりのリボンが
やけにかわいい女のコと
あいそうのいい おかあさん
竹みたいなサトウキビを
ナイフで切ってくれる
サトウキビ売り

この踊りは、ある左右の足の長さの違うジャマイカ人が考えついた、というか踊ってたら自然にそうなっちゃったという、ユニークなステップ。

伝統的なカリプソだって負けてはいない。カリプソ王として長年君臨していたスパロウのあと、ソカというカリプソとソウルのフュージョンをひっさげて、デイヴィド・ラダーが現れた。

なんて、いろいろあるけど、これだけの音楽の違いを認識できようと、できまいとたいした問題はない。メロディアスでも不協和音ぽい曲でも、これらの音楽に共通するのは、のれること、すぐに参加できること、そして旋律の繰り返しが、宗教的なトランス状態へと誘っていく点などだ。

このお祭りのことは、なんと一四九二年にコロンブスが西インド諸島を発見したとき（ほんとうは発見したのはカリブ人だけどね）まで、さかのぼる。その時ちょうど行われていたカリブ人たちの祭りを見て、すっかり気に入り、それにスペイン風のダンスなどの要素を取り入れて、今のような形のカーニバルになったということ、でも、このカーニバルを形容するのには、それだけでは不充分。というのは、現在のカリブ人と、コロンブスが遭遇したカリブ人とは同じではないからだ。その頃のカリブ人はほぼ残存していないといわれている。現在のカリブ人は、元祖カリブ人やスペイン人、そしてアフリカから無理やり連れてこられた人々の混血、あるい混血していないアフリカ人の子孫ということだ。

九二年のカーニバルの直前、カリブからアフリカ系移民と思われるフェルディナンド・デニス氏が、「イブニング・スタンダード」誌にこんな記事を書いている。

「ノッティンヒル・カーニバルで演奏される音楽は、カリプソからレゲエ、ラガ、ラップまで、さまざまな時代、ジェネレーションに属している。しかし、それらの共通項は、アフリカである。どのタイプの音楽も、アフリカのスピリット（魂）を表現している。それらの音楽によって、宗教的なトランス状態、忘我の境地にまで誘いこまれ、われわれの古来の宗教であるシャンゴ崇拝（アフリカ西海岸一帯に広範囲に住むヨルバ族の神々のひとり）へとつながっていくのだ。

故国から引き離されて、新大陸へ、ロンドンへ、ニューヨークへ、そしてトリニダードへと移住していったアフリカ人の魂を、旋律に込めて、表現しているのである。

その魂を感じるまでは、あなたは、このカーニバルに参加した、体験したとはいえないのだ」

ナンパ術

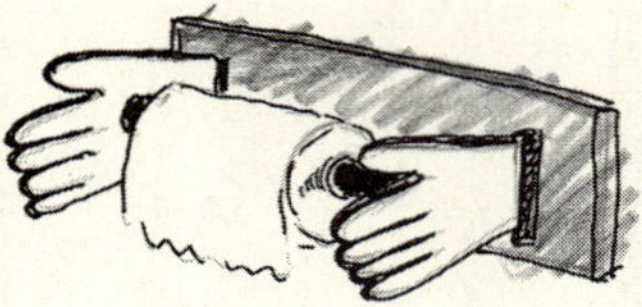

トイレットペーパーをさしだす親切な手

梅雨のないイギリスの六月は、さわやかで、夜も十時頃まで明るくなって、ほんとうにいい季節。学校は夏休み前のテストの季節だけど、集中力に羽根が生えて、空に飛んでいってしまいそうになる。

夕方、心地よい風にふかれながら街を歩いていたりすると、「ハーイ、ラブリーな日じゃない？ こんな日はシャンディ（ビールとレモネードを半分ずつで割った飲物）がおいしいよね。一緒にパブに行かない？」なんて声がかかったり。

そう、これから夏にかけて、アウトドアの季節。そして、パブの外で飲むビールのおいしい季節。そして、そして、あの手この手のナンパの季節でもあります。

というわけで、街で採集した、あの手ならびにこの手をご紹介。

初級編

その一　通りで「ねえ彼女ヒマ？」

このレベルでナンパを成功させようとはシロウトもはなはだしい。こんなオリジナリティのないやつとつきあうほど、ヒマじゃないに決まっている。

これの応用として、曲り角で待ち伏せして、「ねえヒマ、お茶のまない？」

一挙に警戒されて、逆効果もはなはだしい。

その二　通りでいきなり「心配しないで。ボクはあやしい者ではありません」

こういう台詞は、押し売りのときにいってくれ。

初級番外編

通りで「おじょうさん、ここでお会いできるなんて、何というしあわせ！　早速ですが、自己紹介させていただけますか」

これが、見るからにアル中の台詞とわかれば、まにうける人もいまい。

毛のはえた初級編
その一　広場のベンチで「いいお天気ですね」

「ええ」

「ところであなたフィアンセいるの?」

大きなお世話だ。しかしこのパターンの男はしつこいのが特徴。

その二　文房具屋で「失礼ですが、日本の方?」

「はい」

「実は私、二年前から日本のことを勉強してるんです。良かったら、お話きかせてもらえませんか」

見え透いている。単に柔順でお手軽で男につくす日本女性などという伝説を信じている手合いは迷惑千万。

中級編
その一　語学学校で教室を探しているときに「何か探してるの?」教室まで案内し

てくれ、「ついでにロンドンの街も案内してあげるよ」

実はこの人、語学学校には無関係。近所のロンドン大学の学生だった。新学期を狙って、入学したての外国人に声をかけるこの手合いは、常習犯か、よほどモテないやつであろう。

その二　ロックコンサートの会場で「キミ、イヤリング落としたんじゃない？　ボクが探してあげるよ」

タイミングとしてはなかなか、ではあった。

中級の上編

その一　通りで、追い越しざまに「ステキな歩き方じゃない」

「どうも」

「ロンドンにはいつから？　ボーイフレンドはいるの？」

「べつに」

「じゃあキミをいい気持ちにさせてくれる彼が必要だろ。ボクなんかどう？　いいんじゃない？」

ひゃあ、いやらしいやつ。この人ブラック系。こういうストレートさは嫌いではないが、もとより肉体賛歌派ではない人間には向かないだろう。

「そうねえ。悪いけど、好みじゃないから、他あたってよ」

「OK、気が変わったらどこかで会おうね。バイバイ」と慣れたもの。

その二　お祭りのとき、ラップのリズムに乗って、

「ヘイヘイ、ユー、そこのキミ。ああキミだよ、キミ。やっぱり、あの時のキミじゃない、イエイ。ボクだよボク。覚えてる？　ヘイ、あの時のホラ、ボクさ。思い出しただろ、イエイイエイ」

このノリには恐れいりましたわ。さすがカリブ海系。うまくラップで返事できず、友だちや、まわりの人たちと笑っているうちに、祭りに飲み込まれてしまった。

上級編
お年寄りか、よほど好きな人しか行かない庭園史博物館で「あのう、失礼ですがあなた、庭師の方？」
なぜこれを上級編にしたかは、純粋に個人的な理由だが、私のほうも、なんでこう

いうしんきくさい場所に、若い男性が来て、熱心に見ているのか、興味をいだいていたからだ。グリーンのポロシャツをござっぱりと着て、外見も実はわりと好みだった。

もう夕方にはパリへ飛ぶというアメリカからの旅人だったのも、安心材料になり、結局、テムズ河南岸のランベスからレスタースクエアまでしゃべりながら歩いて、中華街の「北極熊酒地」パブでビールを飲んでしゃべった。

その後二度ほど手紙がきたが、もうどこにしまったかも思いだせない。欧米と一口にいうけど、ヨーロッパにいると、アメリカはちょっとばかり遠い。日本にいた時のほうが、もっとアメリカは近かった。これは物理的な意味ではない。例えば日本では、西洋人と見るとアメリカ人だと思い、海外のニュースといえば、アメリカ合衆国から入ってくることが多い。アメリカを通して海外を見ている傾向が強いともいえる。イギリスは、自国の特派員が海外ニュースを、世界各地から送ってくる。海外のニュースの比率は大きい。しかし当然ながら、そこにアメリカ合衆国の見方は日本ほどは入っていない。というわけで、日本にいた時より、アメリカが遠く思える。

英米の英と米も、だからここではっきり違う。ロンドンに来た当初は、私のアメリカ訛りの英語をよく注意されたものだ。

「きみの英語は、みっともないアメリカ訛りがある。直したほうがいい。あの人たちはね、いつのまにか英語をヘンなふうにしちまったんだよ。だから、あれはまっとうな英語とはちょっと違うのさ」

あのう、日本で教わるのは、英語ではなく米語なんですけど。

そういえば、市民講座のドイツ語入門クラスで会った、幾分というか、どう見ても頭がヘンな男のコが、「あっ、きみアメリカ人だろ。その訛りでわかるよ。実はボク、アメリカ人の女のコと結婚して、アメリカに住みたいと思ってるんだ。そうすりゃ向こうで、仕事見つけるのも簡単だしさ」

この男、自分と俳優のジェラール・デパルデューとを混同していないかい。映画の『グリーンカード』もいいけどさ。

「私の英語は、アメリカ訛りじゃなくて、日本語訛りなの。わかる?」

わかってくれたかな。

ところで滞在が長くなるにつれ、めっきりナンパに出会う機会が減った。スキがなくなったのか、あるいは、一部の、ロンドン通と名乗る日本人男性たちの定説のよう

に、

「滞在の長い日本女性はすぐわかる。旅行者や来たばかりの人と違って、化粧はほとんどしてないし、洋服も金のかかったものを着てなくて、なんかすすけて見えるから」なのでしょうかね。

シティとイーストエンド

下町のイーストエンドと、昔から金融街として知られるビジネス街シティとは、隣どうしである。しかし、こんなに顔の違うお隣さんも珍しい。違いすぎて、ケンカにもならず、無視しあって暮らしているって感じだ。

このお隣どうしの別世界。解け合いそうもない、不思議な落差。私は、第三者の気楽さで、この別世界のあいだを自由に行き来して、ロンドンの落差見物するのが好きだ。

どこからどこまでがシティで、イーストエンドなのか、線を引けといわれると難しいが、地下鉄と国鉄の駅リバプール・ストリートの前を走るビショップスゲイト通りを挟んで、西側がシティ、東側がイーストエンドであるのは、すぐわかる。

まずリバプール・ストリート駅とその西側にあるブロードゲイトに、目を向けてみる。ここは八〇年代半ばの再開発地区である。築百年以上の建物も珍しくないロンドンでは、珍しいピカピカの場所である。駅はピカピカ、電光掲示板もピカピカ、お店もピカピカである。私たちは、アート・ヒストリーで、現代の建築を学ぶにあたって、ぞろぞろ見学にやってきた。

駅にももちろん、ビシッとした背広のヤッピーがうじゃうじゃいるが、一歩足をブロードゲイトに向けると、退社時などはヤッピーの集団と擦れ違うことになる。このブロードゲイトは、駅に隣接した円形の広場と、その周りのビル群で構成された空間である。八五年頃にできたものだから、やっぱりピカピカだ。

広場を見下ろす場所には、ノーネクタイ、ジーンズお断りの、ポッシュなパブとワイン・バーの中間みたいな店があって、五時を過ぎると、店の中もベランダもヤッピーでいっぱい。少し先にも、ビルの一階にパブがあって、夏の夕方には、仕事帰りの一杯を楽しむ背広とスーツ姿で、ビルの谷間がうめられている。最初は、ざわめきを少し離れた場所から聞いて、季節はずれのムクドリの群れかと思ったくらいだ。のぞきに行ってみたら、パブの外で、立ったままビールを片手に談笑するヤッピーたちだった。

これはなかなか面白い光景である。見物するのにはもってこいだ。問題は、この場合、場違いな人間が私のほうなので、見物しているつもりが、浮いてしまって、見物されるハメにならないともかぎらないこと。

見物していて気がつくこと。それは、シティというエリート・サラリーマンが集まるといわれている地区が、まごうことなき白人優位社会であるという事実。背広の似合う長身の男性の群れ、スーツを着て、ドシドシ歩く勇猛そうな女性の群れ、ほとんど白人である。中に時折、ブラック、インド、アラブ系かな、と思われる人々が交じるが、ほんとに目立たない。ちょっと目立つ有色人種といえば、日本人ぐらいだろうか。

夏休み中に、シティで働いているスペイン人の友人のヤンと、ランチでも食べようと待ち合わせをした。サンドイッチ・バーで、ランチと飲物を仕入れ、近くのスクエアに行った。芝生と樹木とオークのベンチがふんだんにある、典型的な広場だ。背広姿がもうびっしりとベンチに座っている。サンドイッチを食べたり、芝生のほうを眺めていたり。グループで談笑している人はほとんどいなくて、ひとりとか二人とか。静かである。

芝生では、何組かのグループが、昼休みのローンボウリングに熱中している。このスクエアも白人ばかりだ。ロンドンの中心街や電車の中の、雑多な人種とは大違いの光景である。

シティ周辺は、ブロードゲイトだけでなく、ロイズ・ビル周辺の建物も面白い。重々しいヴィクトリア調の装飾をほどこしたビルもあれば、ロイズ・ビルみたいなシルバーメタルの、ポスト・モダンなビルもある。見学コースもついているので、中の吹き抜け構造とインテリア、中で働いている人たちも見ることができる。

私はたまたま、九二年の五月頃のＩＲＡが仕掛けた爆弾の爆発後に、この辺りに来たが、ロイズ・ビルは被害が少なかったものの、周辺の超高層ビルのガラス窓の損傷が激しく、割れた窓に張り付けた木の板の数の多さに、爆発の大きさを思い知らされて、身震いしてしまった。

さてこのシティ、夏場の夜の七時はまだまだ明るいが、パブとその周りから、潮が引くように人々が姿を消す。週末もまたしかり。静かなものである。

一方、週末に活気づくのが、ビショップスゲイトをはさんだお隣さん、イーストエンドである。労働者階級と有色人種が多いといわれるこの地区はまた、このところアーティストが集まって住み始めた地区としても知られている。

駅前のビショップスゲイト通りを横切り、ミドルセックス通りへ入ると、もうそこは下町。シティの影などみじんもない。安い掘出し物が見つかりそうなペティコート・レーンのマーケットや、その先の布地の卸し問屋が並ぶブリックレーンと、その北のマーケットへ向かう道沿いの家は、すすけたレンガと、窓枠のペンキもはげたような古い西洋長屋が続き、道路沿いのストール（露店）で売っているのは、見事なジャンク、がらくたや、安い衣料品、野菜などである。同じマーケットでも、コベント・ガーデンや、ポートベロと違って、一目見て、わっおしゃれ、という物はまず置いていない。しかし安いのが魅力である。

ブリックレーンへ入る頃には、この一帯の特徴がよくわかってくる。すれちがう人、店の人、有色人種が圧倒的に多い。バングラデッシュやインド系、アラブ系、ブラック系、アジア系、アジア系でも中国系の顔は、あまり見かけない。有色人種イコール貧しい、という公式は必ずしも正しくはないが、いかにも家の外観や、花壇にこだわらない感じが、街を荒れた雰囲気に見せている。

ミドルセックス通りの北に行くと、やはり荒れた昔のマーケット広場、スピタルフィールドがある。私がここを知ったのは、毎年夏に行われるホワイトチャペル・オープンという催し物に行ったからだ。

ホワイトチャペル・ギャラリーは、ロンドンでも老舗の現代アートのギャラリーで、夏になるとこの地区に住んでいるアーティストからの公募をして、展覧会を開く。それと共に、アーティストのアトリエを一般の人が訪問できる機会を作ってくれるのだ。個人で回ってもいいし、ツアーの小型のバスも出る。

家賃が安いこの地区に、アトリエと住居を求めて住んでいるアーティストは、現在六千人以上といわれている。そして、そのほとんどがアートだけでは食べていけない、売れないアーティストだ。私も最近、あちこちでアーティストと名乗る人たちと、出会うことが多くなった。私の行動半径が広がったともいえるけど、レイコも歩けばアーティストに当たる、くらいロンドンにはアーティストと名乗る人が多いのではないかと思う。

で、そのスピタルフィールドのマーケット広場に、ホワイトチャペルの公募で採用された大きめの立体作品——インスタレーションと呼んでいる——がいくつか置かれているというので、見にいったのだ。

最初はどれが作品だが、露店だかよくわからなかった。だって真ん中にあったのが、果物の木箱を何カ所も積み上げた、一見ただの在庫品の置き場所ふう作品だったし、壁みたいに大き過ぎて、かえって目に入らない作品だったり。

ところで、ヤンと友だちになったのは、このホワイトチャペルの公募展覧会がきっかけだった。めちゃくちゃ厳しい批判をするやつだと思ったら、父親の代から、絵画収集の趣味があって、シティに勤めはじめたのを機に、収集を始めたい、というのが展覧会に来た動機という。

さてスピタルフィールドとイーストエンドのアートは、不況に耐えつつ、何かを表現しようとうごめいていることは確かだ。

もうひとつ、私が気がついたことは、イーストエンドの側からは、見上げないとシティは見えないことと、シティの側からは高層ビルから見下ろさないとイーストエンドは見えない、ということ。

私は、すすけた古い建物の向こうに、ピカピカにそびえるシティの高層ビル群を見上げるほうだが、下町イーストエンドから見上げれば、シティはやっぱり不思議なお隣さんだ。

アデレイド自然保護地

趣味の土方《どかた》にいそしむ日曜日がある。

朝七時にパッと起きて、というのは嘘で、昨日夜更かししたのが間違いだ、今日参加するなんていわなければよかった、などと悔みながら、なかなか夢から覚めない重いからだを、やっと引き起こすのだ。

やっと起きると、土方用の古い服を着る。肉体労働に備えて、朝ゴハンはいつも以上にしっかり食べる。雨が降ったときのために、携帯用のレインコートと、お弁当のサンドイッチをバック・パックに詰めて、底の厚いウオーキング・シューズの紐をキュッと結んで、外に出る。

日曜日の早朝とあって、歩いている人もほとんどいない。ひとたび、外を歩きはじめると、心地よい夏の涼風が吹き抜け、早起きしてよかったな、という気分になってくる。

今日の目的地は、歩いてもほんの二十分足らずのアデレイド自然保護地である。そこで趣味と実益を兼ねて、他のボランティアたちと一緒に土方作業をするつもりなのだ。

イギリスは、ボランティア活動が盛んである。街頭募金を始め、オックスファムのような慈善事業のための、寄付や古着や小物・大物の店、身障者の介添え、公共の庭園や、墓地の手入れなど、いろんなことが、無給のボランティア活動に支えられている。

さて、今日のアデレイド自然保護地での仕事は、地元のボランティア・グループと、ロンドンとその周辺での活動をしている、大きなボランティア団体の合同プロジェクトである。この日のテーマは、自然保護地の雑草を刈り取り、傾斜地の階段の丸太を修理し、同時に、簡単な歴史にふれ、特徴的な昆虫や植物を観察し、また親睦をはかること。

基本コンセプトはEnjoy Yourself 自分が楽しいと思うことをやりましょう、である。世のため、人のため、などという、野暮な大義名分は一切ない。だから、集まってくる人は、土にまみれる汚れ仕事が好きな人たちばかりだ。第一好きじゃなければ、わざわざ日曜日一日費やすこの肉体労働、やってられない。

雨の日などは特に、泥まみれになる。しかしバンの中で、肉体労働の満足感を味わいながら、仲間たちと熱いティーをすすり、各々持参したサンドイッチをつまむ、あの雰囲気には捨てがたいものがある。

さて、アデレイド自然保護地に戻る。まず地元のボランティアの一人が、手短に歓迎の言葉と、作業の手順および歴史と生息している生物についての説明を行う。しかし、この方は杖をついたおばあさん。集合場所に杖をついたおばあさんが一人いるのを見たとき、びっくりしたのだが、すくっと立ち上がり、話し始めたときには、二度びっくり。声が大きくてハリがあるし、内容も無駄がなく、昨日や今日仕入れたのではない教養がある。

そのアーシュラの説明と、小さなパンフレットによると、アデレイド自然保護地は十五世紀の半ば、ヘンリー六世により、新設されたイートン・カレッジ用として下賜された敷地の一部にあたる。傾斜した湿地なので、その後はいつのまにか農地になり、十八世紀後半までは、主に馬用の牧草地だった。

一八三七年にロンドンとバーミンガム間の鉄道が敷設され、線路が傾斜地の底に設けられた。少し先にレンガ造りのトンネルが見える。翌年、線路にそって傾斜地の上に、アデレイド通りが作られる。アデレイドというのは、ウィリアム九世の王妃の名前にちなんでいる。ところでウィリアム九世は三七年になくなっているはずだ。というのも、大英帝国の繁栄と共に君臨したヴィクトリア女王が、同年即位しているからだ。

アデレイド通りに沿って、中産階級の庭つきの大きな家が建ち並んだ。傾斜地は線路ぎりぎりまで庭になっていて、手入れされた庭木や果樹で彩られ、多くの人々は、ガラス張りのサンルームでお茶を楽しみながら、庭を眺め、時折走る鉄道を眺めたことだろう。この地のもっともしあわせな時代である。

ところが、これらの家のほとんどは、第二次大戦中に空襲でめちゃくちゃに破壊されてしまった。鉄道に近かったのが不運だった。戦後は六〇年代に再開発が始まったが、やけに高いカウンシル・フラットのビル群と、箱みたいな家々には、昔の面影はみじんも感じられない。

荒れ放題のこの傾斜地が、地方自治体の協力を得て、自然保護地として整備されはじめたのは八五年のことである。フェンスや小道、階段を作り、鳥の巣箱をおくなど。

さて今日は、運のいいことに快晴。といっても、薄く雲が広がり、作業には暑すぎない理想的な天気になりそうだ。作業の手順は、草刈りから。ぼうぼうに伸びた雑草や、ひとりでに生えたシカモアの苗木や、どこまでもツルを伸ばすブランブルの枝を切ったりする。

ところで、思わぬ場所で、日英間の経済摩擦ならぬ植物摩擦に出会うことになってしまった。どの植物を刈り、どれを残すかという説明のおり、昨今激しくイギリスの野原に侵食してきて、クローバーやキンポウゲ、デイジーなどの野の花を駆逐している迷惑なある草の話が出た。

悪名高きこの草の名は、ジャパニーズ・ノットウイード。学名にも日本という名が出ていたので、原産もわが故郷らしい。

ヴィクトリア時代に誰か物好きな紳士が、日本からもちかえったのが、増えに増えてしまったというのが定説のようだ。アーシュラは、この雑草は非常に強くて、いまだに効果的な駆逐方法がわからない、という。

　誰かが、「じゃあ、誰か日本人に聞いたらいいんじゃないの?」という。私は思わず「あ、どうもすみません。調べておきます」と恐縮してしまい、笑われた。

　後でアーシュラに、どれがそうなのか、こっそり聞いたところ、指さされたのは、イタドリに似た草だった。日本のより、ずっとひ弱そうに見える。

「これ専門に抜きましょうか?」と聞いてみたら、「大丈夫。これは私にでもボチボチ抜けるから、広いところでスラッシャーで、草を刈ってもらえるかしら」

　スラッシャーというのは、柄の長い草刈り鎌である。こちらの草刈りは基本的に、草抜きではない。スラッシャーを振り回して、刈るのだ。これを一日振り回すのは、かなりの体力を要する。私のようなシロウトには無理だ。で、午前中はスラッシャー、時に干し草を運ぶときの二股のピッカーで、刈られた雑草を運び、午後は柄の短い鎌で刈ったり、トグルという剪定《せんてい》バサミを使ったりする。

　午前と午後のティータイムは欠かせない。ビスケットとティー、コーヒーは提供してくれる。ちょうどブランブルの繁みには、黒いベリーがいっぱいになっていて、私たちは好きなだけ、食べたり、お弁当箱に詰めてもってかえっていいことになった。

早速ランチのあと、あちこちでアチチとトゲにさされながらも、ブラックベリーを摘む人たちの姿が見える。ベリーは夏の風物詩である。

きれいなブルーの蝶が飛び、スラッシャーを一振りすると、バッタたちが迷惑げにブーンと飛ぶ。カタツムリにも、悪い悪いといいながら、移動をお願いする。黄色いアリの塚である、小さな土まんじゅうを、間違って刈り取ったりしないように、よく見ていなければならない。

ミツバチも飛んでいる。近所に住むアーシュラはミツバチを飼っているので、たぶんそこから逃げてきたものではないかという。

ところで問題がひとつあった。トイレがないのだ。朝からポット半分ぐらいのティーを飲んできた私は、行きたくてしかたがない。この保護地の管理をまかされているというポーランド人のご夫妻に頼み込んで、お宅のを貸してもらった。二人は、全員には貸せないから内緒にしておくんだよ、と案内してくれたが、朝いちばんからトイレ、トイレといっているのだから、始末が悪い。他の人たちは私と違って、賢明にも一人もそんなことはいいださなかった。どんな膀胱をしているんだろう、と思った私は、ちょっと意地悪だろうか。

それにしても、みんなよく働く。イギリス人とは利益がからまないと、こんなによく働くものなのだろうか、と思う。店のサービスや、噂に聞く一般の会社員の労働意欲のなさとは、段違いである。二十歳前後の男女から、失業中のレンガ職人、赤銅色のおじいさん、精神障害があるというカップルまで、時に冗談をいいながら、手はきびきびとよく動いている。

この日は、丸太の階段までは手が回らなかったが、経験のある人がひとつ模範でやっていたのを見た。これは初級の私には、まだまだ無理だが、やり方を知るのが面白かった。雑草が刈られ、階段が整備されれば、地元の子どもたちの学習や遊びの場として、また人々の憩いの場として、利用してもらえるようになる。

五時近くには道具も全部しまって、解散。熱いお風呂と、ぬるいビールで、趣味の土方にいそしんだ、夏の日曜日の締めくくりをするために、それぞれの家路を急ぐのである。

有名人の家めぐり

私が住む街ハムステッドには、昔も今も有名人が多く住んでいるそうだ。ところが、私は有名人オンチで知られている。ハムステッドには、見るものが多すぎて、有名人まで手がなかなか回らない。第一、有名人といったって、普段は普通の人だから、目立たないのだ。普段でもケンタウロスとか、メデューサぐらいの派手な有名人だったら、私だってすぐにわかって振り向いたりするにちがいないと思うけど。

一方、語学学校時代からの友人で、今は大学で政治学を専攻しているタカコさんは、頭に有名人探知機が内蔵されているらしくて、彼女と歩いているときにだけ、やたら有名人と出会うのが不思議でさえある。

先日、ヒースに近い住宅街をぶらぶら歩いていたら、キャバリア・キング・チャールズ種の犬を二匹連れたカップルが向こうから歩いてきた。犬好きの私だから、とうぜん犬を観察する。白い毛に一匹は黒いブチ、もう一匹は茶色のブチ。「チャールズ王の騎士」という名前のとおり、この犬は、コッカ・スパニエルに中国の王宮の狆《ちん》（もともとの血統は日本らしい）の血が混じった、まことに貴族的で由緒正しい犬なのである。それがあんなにヒモを引っ張って荒い息をしながら散歩しているのは、久々の散歩で興奮しているためか、しつけが不充分なためか、はたまた野菜が足りないためか……。

そんなことを考えながら、ふとかたわらを見やると、タカコさんは、目を真ん丸にして、二匹と二人の後ろ姿を見送っている。

「ああ、あれ……けっこう有名……」

「そうそう」わが意を得たりとばかり、私は答える。「キャバリアでしょ、キング・チャールズ。ちょっと息が荒いと思ったけどね」

「は？」

相手は怪訝な表情から、当惑に半分移っている。

「だからほれ、チンの血も混じるという」私は完全に、ここで墓穴を掘っていた。

「ええっ、違うのよ。レイコさんたら、いったい何を見てたの？　私がいいたかったのは、彼がボーイ・ジョージだってことよ」

「あらあ、そうだったの。あのスキンヘッドにテレンテレンTシャツの飼い主？」

有名人オンチの私だってボーイ・ジョージぐらいなら知っているさ。カルチャー・クラブのカセットなら昔々に買ったおぼえがある。なかなか気に入ってた。でもボーイ・ジョージって、おさげでリボンしてお化粧してるんじゃなかったっけ？

「いやだあ、いったいいつの話してるの。それにいつもメークしてるとは限らないじゃない。ステージでもないのに」

もっともだ。しかし、メークしてリボンしてなくて、どうしてボーイ・ジョージだってわかるのよ。あの坊主頭の後ろ姿なんて、学校でオーディオ・ヴィジュアルを教えているフィルとそっくりじゃない。それに彼が、男の人ではなくて、女の人と一緒というのも、よくわからない。

「数年前ボーイ・ジョージと同居していた彼だかマネージャーだかが、麻薬中毒で死んだってきいたけど……」

有名人は、まったくもってよくわからない。

しかしその前にも私は、有名人オンチで墓穴を掘ったことがある。

「テレビをたまたまつけたら、なんだか有名そうなアラブのおっさんがすごい聴衆を前に歌ってたけど、あれ誰か知ってる？」とたずねて、あのフレディー・マーキュリー様をつかまえて、アラブのおっさんとはなんという不敬な、としかられてしまったのだ。そうか、エイズでなくなった彼の、追悼番組のひとつだったのか。いやあ、それにしても昔のエキゾチックな青年が、いつのまにかアラブのおっ……またしかられるので、やめておこう。しかし有名人オンチというのは、直らないのだろうか。

そんな私でも、九二年の統一選挙に先立つこと半年あまり、労働党から立候補を予定されていたグレンダ・ジャクソンに、ハビタの前でバッタリ会ったときは、ちゃんとわかった。なぜならば彼女が、通行人に「みなさま、私がグレンダ・ジャクソンです」といっていたからなのだ。

しかし有名人オンチだからと、あきらめる必要はない。生きてる有名人がダメでも、死んでる有名人だって、ハムステッドには山ほどいるのだ。

正確にいえば、死んでる有名人がかつて住んだことのある家が、至る所にある。なぜわかるかといえば、ブルー・プラークという青い円形のプレートが、家の玄関の斜め上あたりに、嵌め込まれているから。例えば、フロイトの家には、「ジークムンド・フロイト、一八五六―一九三九年、精神分析学の創始者、一九三八―三九年にここに住む」とある。一九三九年という年からも推測できるように、ナチの迫害を逃れてロンドンへやってきたフロイトが、死ぬ前にほんの一年だけ住んだ家なのだ。

今は記念館になっていて、彼の蔵書、机、トーテムや呪術的な置物類、特注という織り布のかかった愛用の椅子など、そのままで保存されている。なぜここに、これほど揃っているのか驚くほどだ。逃避行というから、風呂敷包みひとつかかえての夜逃げかと思っていたが。宅配便かなんかで、まとめて後から来たのだろうか。それに、最初に行ったときは、フロイトの入れ歯が眼鏡と一緒に展示されていたと思っていたのに、次に行ったときにはどうしても見つからなかった。私は幻の入れ歯を見たのだろうか。今でも気になっている。

牛のように、過去と現在と、自分の勝手な憶測を反芻しながら接することができるので、私はこういう死んだ有名人のほうに、余計親しみを感じている気がする。

ことにハムステッドには、文筆業と芸術に関わりのある人が多く住んでいたようだ。今は必ずしもそうではないようで、噂を聞くかぎりでは、芸能人のほうが多いのかもしれない。また、労働党から立候補したグレンダ・ジャクソンが、その後圧倒的な強さで当選したように、この地区は、左寄りの中流から中の上あたりの階級の住む地区として知られている。

それもそのはず、マルクスはこの近辺に住んでいたし（しかし彼は極貧だった）、墓が少し北のハイゲイト墓地にある。『共産党宣言』の共著者エンゲルスの家も、散歩中に見つけた。ヒースの近くには、やはり社会主義運動家ハインドマンの、あまり社会主義者らしくない、立派な家がある。

作家では、ハムステッド地区内の引っ越し魔のD・H・ロレンスをはじめ、K・マンスフィールド、ハックスレー、トマス・ハーディ、ドリス・レッシング、T・S・エリオット、A・A・ミルン、H・G・ウェルズ、G・オーウェル、それにA・クリスティと枚挙にいとまがない。

そして、画家としても活躍した詩人のウィリアム・ブレイク。キーツの家は現在、記念館になっている。

ハムステッドの画家といえば、コンスタブルがいる。生前もターナーほどは認められていなかったし、私もパッとしない色彩だなあと思っていた。しかし、ヒースを散歩するとコンスタブルの空と雲、太陽、草、丘すべてに会えるのを知ってからは、がぜん親近感を覚えるようになった。

他には、K・グリーナウェイ、A・ラッカム、ホイスラー、D・G・ロセッティ、それにモンドリアンも住んでいたことがあるらしい。彫刻家のB・ヘップワースやヘンリー・ムーアらも。ヒースには、ムーアの大きな作品がある。写真家のセシル・ビートンもいた。

ただし、家というのは単に家である。彼らも生涯のうちに、何度も引っ越ししたにちがいないし、ハムステッドに限らず、ロンドンにはパブの数と同じくらい、有名人の家があるのだ。

最後に、静かな住宅地での、こういう生産性のない楽しみは、散歩という無為な時間をすごすのが好きな、私のようなしんきくさい人間にしか向かないと思う。声のでかい人、群れて行動するのが好きな人、人の家をのぞくのがやめられない人、シャッターを押すのがクセの人、時間の損得勘定をする人には、およそ向かないことは保証する。

それにハムステッド・ヒースは、ただのただっぴろい草地である。迷子になってしまう人も、よくあると聞く。迷子になっても、自力で出てくるしか道はない。そして、夜はまぎれもなく、真っ暗である。また、ここはホモセクシャルの出会いの場、あるいは溜まり場としても知られている。逆にホモ・バッシングなるイジメの暴力沙汰が起こったりもする。死人が出たこともある。

効率良く安全に、有名人の家巡りをするならば、英国最大の有名人一家の城バッキンガム宮殿や、将来のキング・チャールズたちの住居があるという、高級住宅地サウス・ケンジントンあたりに行くほうが、賢明というものだろう。

リージェント・パークのバラ園。かぐわしい
バラに囲まれたオークのベンチのある一画。

PART 4 秋冬の楽しみ方

十月の光

ロンドンに住みはじめて、三度目の十月がやってきた。重苦しいグレイの冬が訪れるまえに、ほんのひと時の青空に会える月。

ほんとうのことをいうと、三年目にしてようやく、十月の光がとても美しいことに気がついた。光が、見慣れた日常の景色に加わっただけで、その細部のあちこちに、思いがけない新しい表情と輝きを創りだしてくれるのを、初めて知った。

どうして、今まで気がつかなかったんだろう。

慣れない暮らしの不安がいっぱいで、そんなことに気づく余裕がなかったのかもしれない。自由で孤独で、自分の内面ばかり見つめていたのかもしれない。生活費の計算ばかりしていて、足元のコンクリートだけ見ていたのかもしれない。田舎のコテッジに住んで、優雅な生活をしなければ、自然や季節とは友だちになれないなんて、頭っから思い込んでいたのかもしれない。

今頃になって、やっと気づいた。田舎のコテッジに住まなくても、自然や季節と友だちになることができるし、すぐそばの景色の中にも、輝きはいっぱいあることを。

そうして私は、なんだか今生まれたみたいな気持ちになって、新しい日記帳の一ページ目を開いてみたくなっている……。

カーテンのすきまから、まぶしい光がさしこんでいる。空が青い。たまにしか青い空に会えないと、とても新鮮。からだの中まで、青い空の色が染み込んでくるようだ。心臓がどくんどくんと騒いで、こんな日に家の中にいるのは、人生における大きな損失だよ、と私をけしかける。

もう、私の手は、薄切りのトーストにバターを塗っている。スモークサーモンとキュウリをはさんで、もう一枚にはクリームチーズを塗って、あっというまにお弁当のサンドイッチが現れてしまった。デザートには、コックスの小さなリンゴをひとつ。

このイギリス産のリンゴは、耳元で振ると、中でタネがコロコロと音をたてる。

いつものバックパックに、午後からの学校の授業用のノートを一冊とお弁当、そしてカメラをいっしょくたに詰め込んで、スニーカーのひもを結ぶのももどかしく、外へ、飛び出した。

家からプリムローズ・ヒル（さくら草の丘）を越え、リージェント・パークを北から南に歩く、お気にいりの散歩コースを行こう。

太陽の光は、退屈な白い塀に、今は花のないブッドレアや、チェリー・ローレルの枝葉の陰を投影して、見たこともない模様を創りだす。そして昨日までは気づきもしなかった赤い文字の看板を、緑のアイビーに縁どられたアートに変える。レンガの色だって、曇ってるときとは全然違う。それにどの家のレンガも古さや、コケの生え方、焼き具合の違いで表情が全然違うのが、今日はよくわかる。マンホールの蓋がこんな模様だったって、初めて気がついたな。

あんまり世界の色と光と模様が面白くて、まっすぐ歩けば一〇分とはかからないのに、プリムローズ・ヒルまで、なかなかたどりつけない。初めて日の光を見た人みたいに、その輝きに酔っぱらっている……。

リージェント・パークでお弁当を食べるときには、いつも後ろに木のある、はじっこのほうのベンチを選んで座る。なぜかというと、そっちのほうが、リスも私も落ち着けるから。

サンドイッチを食べていると、グレイのリスがかならず、相席してもかまいません？　という感じで現れる。わざと知らん顔していると、ちょっとそれはないんじゃないとばかりにじり寄ってきて、しまいには食べようとしているサンドイッチにまで、小さな手を伸ばしてくる。

そこでやっと分け前を手渡すのだけど、リスは、ベンチのアームの上で、夢中になって食べる。まるで、彼の世界には、自分とサンドイッチのきれっぱししか存在しないみたいに。そのまぬけで、利己的な食いっぷりが好きだ。サンドイッチがおしまいになり、デザートのリンゴにも、彼は手を出すのだけれど、食ってみると、あまり好みの味ではないようだ。プイと去っていく。こんな食欲だけの関係っていい。私は好きだ。

十月、リスたちは忙しい。リージェント・パークには、オークのドングリや、イギリスでは、Horse Chestnut（馬栗）と呼ぶマロニエの実がいっぱいころがっているから。彼らは、ドングリやクリを拾っては、芝生を掘り返して埋め込み、また掘り返しては別の場所に埋め込んでみる。

ちょっと頭がおかしい人のことを、ナッツ（木の実と同じつづりよ）っていうけれど、この季節のリスたちは、ほんとうにナッティだ。

マロニエの葉は縁から、黄金色に色づきはじめ、オークもプラタナスも、緑の芝生にふりそそぎ、アイビーの赤が彩りを添える。

十月上旬の落ち葉は、寂しくない。足元をお祭りみたいに、にぎやかに取り巻いて、ナッティなリスや風と一緒に踊っている。

いつのまにか、私までナッティになっていたようで、午後の授業に遅刻してしまった。デザイン史で、写真の黎明期についての講義だった。あわててノートを取り出しながら、今はバックパックに収まっている、十月の光をいっぱい閉じ込めたはずのカメラを、ちらと横目で見る。

今日、世界がすごくきれいだったことを知っているのは、もしかしたら私だけかもしれない、なんてことばかりまだ考えている。

自分だけの世界にひたってサンドイッチのかけらを食べるリス。

中旬のある日、突然冬みたいに寒くなった。日暮れが目に見えて早くなり、冬時間が始まるのは、今年は二七日だったね、という会話が交わされるようになる。

もう、あんな美しい光の輝きに会える日は、ないかもしれない。

燃えるように赤いアイビーの葉が、どんどん散っていって、痩せおとろえたアバラ骨のようなツルと、剥き出しのレンガがみるみる現れてくる。

だけど今年は、十月の光をお腹いっぱいに食べたから、いつもほど冬が寒くないかもしれない。ずっとグレイの空が続いて、気持ちもグレイになってしまったときには、少しずつ、お腹の光を取り出してみるのもいい。

もうすぐ、ウインターズ・イブともいうハロウィーンがやってくる。長い冬をひきつれて。

ハロウィーン

十月三一日は、ブリテン島の先住民族ケルト族のウィンターズ・イブにあたる。明日からはもう冬ですよ、という日。そしてこの日はケルトの暦では大みそかでもある。

真夜中には、死んでしまった人や、オバケや悪魔などありとあらゆる魑《ち》魅《み》魍魎《もうりょう》たちが甦って、あたりを徘徊するという……。

ロンドンに来て一年目のハロウィーンは、気づきもしないうちに、終わっていた。でもなぜか、二年目、美術学校に通いはじめて二カ月目のときには、ひどく落ち込んで自分にこもっていたせいか、ウィンターズ・イブに向かう空気のようなものが、日ごとに強く感じられてならなかった。

日没はどんどん早くなってくる。日ごとに支配的になってくる闇の重さが、不吉でさえある。

昔読んだレイ・ブラッドベリの『ハロウィーンがやってきた』（晶文社）と、映画で見た『何かが道をやってくる』のふたつの話の雰囲気がごっちゃになって、押し寄せてきたみたいな感じ。怖くてしかたがないのに、なぜか惹きつけられてしまう。

現実のハロウィーンのほうは、スクール・バーでのファンシードレス・パーティ。「カボチャ頭はみんな集まれ」というチラシを見て、夕方七時ごろから、まずは扮装なしのやじ馬たちが集まってくる。扮装の人たちは、どこかで入念なる準備をしているにちがいない。

ファンシードレス（扮装）の人は入場料が一ポンドで、そうでない人より五〇ペンス安いという特典もある。手の甲にスタンプを押してもらって、中に入る。

その日は、一度家に帰った私だけれど、なぜパーティのことを知っているかといえば、なぜか血がザワザワと騒いで、何も手につかなかったので、また電車に乗って学校に戻り、七時ごろバーに向かってしまったからだ。魑魅魍魎たちにでも、けしかけられたのだろうか。

運よくバーの前で、やっぱり血が騒いだらしい同級生たちにバッタリ会った。どんなものかのぞきに来たやじ馬同級生たちは、みんな扮装なしの外国人ばかり。香港からのパトリックに、ドイツ人のアンニャ、アイルランド人で社会人学生のエドと、そのガールフレンドで唯一のイギリス人マンディである。レンガ造りの廃屋みたいなビルの地下のスクール・バーで五人、ラガーやジントニックをすすりながらも、やじ馬根性丸出しで、まわりをキョロキョロしている。

ファンシードレスの人が入ってくるたびに沸き起こる歓声や笑い声、ガランとしていたバーも、いつのまにか立錐の余地もないほど混んで、熱気がたちこめてきた。

バーのカウンターでは、真っ赤なマントがおどろおどろしい、出っ歯の復讐のせむし女がせっせと飲物をつくっている。顔中に包帯を巻いた男は、熱気と喉の渇きにもかかわらず、飲み食いできないのでうめいている。頭にサカナをのっけた男は、何を考えてるのかよくわからない。イチゴの妖精に扮した、ここでは珍しいブリッコ二人組もいた。

しかしマジョリティは、黒い衣装をまとっていて、際立ったオリジナリティは感じられない。例えば黒い魔女に扮したモリーと、ダースベーダーに扮したセバスチャンが、なぜか兄弟のように似てしまうこともある。

私が、わあおしゃれと思ったのは、頭がカボチャ男ぐらいかな。この人は本物のデカいカボチャをかぶっていたのだけど、オレンジ色のスエットスーツとグリーンの靴が、黒っぽい地下バーの中で、ひときわ光ってた。

バーもしまいには満員電車のようになって、突然厚化粧の男女に肩をたたかれても、「いったい誰よ、あなた」。声を聞いて「ぐわーっ」というような叫びになって、会話どころではなくなる。

騒ぎが最高潮になるころ、Z·ip　Zapというバンドの演奏が始まり、真夜中過ぎには扮装のまま通りを徘徊する。

私はパトリックたちと一緒に、バンドの演奏前に外へ出た。これからパーティに行こうというルイーズたちに会う。

キーンとした寒さが押し寄せるが、頭までホットになっているので、心地いいくらいだ。なんだか気持ちが、晴れ晴れしているみたい。それに美術学校の扮装というから、どんなすごいクリエイティブなものかと思えば、あんなものでいいのか。だったら私の扮装だって、けっこういけるな、と妙な自信が沸いてきた。今日は扮装する勇気がなかったから、見学にやってきたのだけど、扮装を考えるのが好きで、日本ではパーティなどで時々やっていたからだ。

美術学校に入学したのはいいけれど、自分に確信がもてず、落ち込んでいた私。なんだ、好きなようにやればいいんじゃないか、と初めてこの時気がついた。単純といえば単純な発想の転換には違いないけど。きっかけなんて、そんなものかもしれない。

そういえばトレヴァ、昼間はあんなにノッて、赤い悪魔ちゃんセットを買っていたのに、バーにはついに顔を見せなかった。さては私と同じように、いつもの落ち込み病が出ちゃったか。優等生で、ハメをはずすのが苦手なヘレナは来るはずがない。インド系のメラニーは両親にしっかり保護されていて、日が暮れてからの外出、特に治安の悪いこの地域への外出は許されないに決まっている。もし彼女が顔を見せるとしたら親同伴にちがいない。

その年のケルト族の新年、十一月一日は、私にとっても新年だった。その日からすべてがうまく行きはじめたわけではないけれど、あの日の真夜中に、何かが私の中で起こって、パンと弾けたことだけは確かだ。

それ以後、あんなにザワザワと血が騒ぐハロウィーンは、私のもとへはやってこない。扮装そのものはやぶさかではないが、満員電車のようなハロウィーン・パーティへ行きたいという気持ちも、不思議と失せてしまった。

それでもハロウィーンには、油断しているわけにはいかない。魑魅魍魎たちは、どこにいるかわからない。例えば真昼のコベント・ガーデンや電車なんかでも、唇も爪も真っ黒のクモ女とすれちがったり、包帯男と正面衝突しそうになることがあるのだから。

今年もまたハロウィーンがやってくる。背中に長い冬をたずさえて。

ロンリー・ハート

「プリティ・ジャパニーズ・ガール三八歳、離婚経験あり、感受性にあふれ、女らしくてセクシー、人あたりが柔らかく、教養豊かな私です。大学卒で、愛情深く、それなりの地位があって知的職業に就いている男性の方、私と笑いをわかちあいませんか。写真同封よろしく。ＢＯＸ○○番」

久しぶりに買った『タイム・アウト』（週刊のロンドンの催し物・映画・劇場などの情報誌）の後ろのほうに出ている、ロンリー・ハーツのコーナーを見たときには、びっくり仰天した。というのも、最後に見た半年前くらいまでは、日本人の広告は、目に入ったことがなかったから。しかも、この五行広告、なんだか私が出したような気が一瞬してしまったからだ。といっても、共通項は年がほぼ同じで、離婚経験ありということだけだけど。しかし、彼女の実行力と、どこまで本気だか不明の自画自賛の形容詞の数々、たいしたもんだなあと、感心してしまった。この人は、形容詞の選び方そのものもうまい。それに最少の文字数で、いいたいことはすべていっている。

奥ゆかしい日本人の常識から考えれば、こんなに自分をほめてはしたない、と思われるかもしれないけど、この程度の自画自賛は、この広告欄ではごく普通だ。はっきりいって、この欄で、自分を客観的に見る必要もない。思い切りいいたいことをいえばいいのだ。広告主はみんな、恋人が欲しいロンリー・ハートの人々なのだから、自分をどう人に印象づけるかが問題なのだ。それにタデ食う虫も好き好きというではないか。第一、二〇語までで三〇ポンド、三〇語までだと四〇ポンドも掲載料を払うのだもの。（九三年当時。現在は一語一ポンド）

十一月五日に、ガイ・フォークス・ナイト*が終わると、例年風もめっきり寒くなり、四時頃には日が暮れる、ゆううつな季節が始まる。ロンドンの冬は、長く暗く、そして寒い。この『タイム・アウト』を見てもわかるとおり、室内での催し物が更に充実してくる。それらは一人で行くより、二人以上で行くほうが、ずっと面白い。だから冬場は、ひとりぼっちが、ことさらに身にしみて寂しく感じられる季節である。悪いことには、クリスマスも近づいてきつつある。

そんなとき、ひとりぼっちのロンリー・ハートは、何を考えるか。ホモであれ、ヘテロであれ、恋人が欲しい、と切に思うのである。手っ取り早く、恋人を見つけなければ、というせっぱつまった気持ちになったりする人もあるだろう。こんな時、スーパーマーケットで、ベーコンや牛乳と一緒に、恋人も適当にみつくろって、買い物カゴに入れて買ってくることができれば、どんなに便利だろう。しかし残念ながら、恋人はスーパーにも薬局にも売ってはいない。

そこで、まわりにコレという人が見当たらない場合、実行力がある人は、この『タイム・アウト』のロンリー・ハーツ・コーナーを、ハタと思い出して、秋の夜長に、机に向かって、自画自賛の売り込み文の原稿などを書いたりするのであろう。

いくつか、抜き出してみると、まあこんな風である。基本としては、この国の場合、自分の性別、恋人にしたいのは同性か異性かを、明確にすることのようだ。

「セクシーな法律家（四二歳）官能的な女性を求む。僕としっとりと暖かいおつきあいを」

「知的職業のハンサムなゲイ男性（二六歳）男らしくて、落ち着きがある。興味のあることは、スカッシュ、テニス、サイクリング、旅行、語学、レストランなど。男っぽく、できれば毛深い男性との、一対一のおつきあいを求む」

「ロマンスは絶滅してるって？当方、治療不可能なロマンティストの男性。四〇歳。身長一八〇センチ。親切でハンサム。城と馬車を所有。キャンドルのもとでのディナー、甘く愛にあふれた関係のもてる、三〇―四〇歳の魅力的な女性を求む。写真と電話番号を忘れずに」

「魅力的なキャリア・ガール　三〇歳――を何歳か越えている。素晴らしくて、インテリジェントな三〇―四五歳の男性を求む。どうか失われた私の、オスに対する信頼を回復させて。そして、人生には仕事よりもっと大事なものがあるって教えてほしい」

「日本人の男、二六歳
性格が良く、誠実、楽天的で親切、かつ繊細で行動的。容姿はスリムでエキゾティック。二〇―三〇歳の明るいヨーロッパ人女性とのおつきあいを求む。友情そして、できればそれ以上のおつきあいを」
「日本語を話す女性の方
あなたは、三〇代半ばの、音楽・メディア関係のビジネスマン英国男性によって、探し求められています。この欄を通じて、でなかったら、どうやって出会えるの？」
「ゴージャスなホモセクシャル女性
三一歳。ちょっぴり左翼系で、情熱的、冒険心に富む。私と一緒にこの地球を救うことのできる、頭が良くて、知的職業に就いている心の広い女性を求む」
「ジェイン、三三歳
まだ小さい三児のいる離婚女性。栗色の髪で容姿端麗。身長一六〇センチ。身長一八〇センチの警官、軍関係か消防士の男性とおつきあいを」
最初は、よくいうよ、と笑いながら読んでいたけど、そのうち、ユーモアのセンスに感心させられたり、短い文の背後に垣間見える真剣さに、しんみりとさせられたりのロンリー・ハートの広告欄。

それにしても、このコーナー、少なくとも十二年以上は続いているらしいことを見つけた。

「十二年間に、二度広告を出した僕

十二年前、このコラムは僕に友情をもたらしてくれた。二度目には、愛とそして、それに続く涙を。そして三度目の今回は――神のみぞ知る、だ。楽天的な男性こと僕は、今年四六歳。知的職業をもち、音楽を愛し、アウトドアと静けさをも愛する。永く、仲良くやっていける女性を求む」

華やかな劇場のざわめきや、キャンドルの灯る暖かいレストランでの語らいが冬時間のロンドンなら、ロンリー・ハートたちもまた、冬時間のロンドン。

＊ガイ・フォークス・ナイト

一六〇五年十一月五日、ガイ・フォークスとその仲間が、国王のジェイムズ一世を暗殺しようとして、国会議事堂に爆薬をしかけたものの、見つかって絞首刑にされてしまったのを記念する行事。広場で花火が打ち上げられたり、大きなたき火がたかれ、時には、ガイ・フォークス人形が焼かれたりもする。このたき火にあたると、これから一年間の健康としあわせが約束されるそう。

クリスマス

ネコたちへのクリスマスプレゼントは
マタタビ効果のあるCatnep入り
ぬいぐるみ

神はもう死んでいる（God is dead）、とニーチェはいった。ならば、どうしてヨーロッパの人々は、いまだにクリスマスを祝うのだろう。

神はお父ちゃんである（God is dad）、とブリクストンのある教会の前に大書きされていたのを見た。ニーチェの言葉を、巧みなウィットで、聖書の言葉ともじらせた、牧師さんの力作コピーだ。ちなみに、ブリクストンは、テムズ河南岸で今、もっとも治安が悪いとされる地区のひとつで、私の美術学校からも近い。麻薬売買や強盗、レイプなどの犯罪の多発が問題になっている。と同時に、ロンドン中心部の家賃の高騰で、ヤッピーたちがどんどん移り住んできてもいるという噂もきく、不思議な場所でもある。

しかしブリクストンの牧師さんの努力にもかかわらず、先日駅で、「神様は俺のことなんか愛しちゃいねえよ（God doesn't love me）」というスネたスローガンを背中に背負って歩いている、ガニ股スキンヘッド、左耳三つ以上のピアスという若者を見かけた。そのスローガンは、ごていねいにも赤いビーズで刺繍され、破れたハートもついているという、手の込んだものである。

ハハン、とピンと来るものがあった。あの辺が本音かもしれないな。あの若者、ごていねいにあんなこととビーズで刺繍するってことは、心の奥ではふかあく、神様に愛されたいと思っているにちがいない。なんだかんだいっても、キリスト教二千年の歴史は、そう簡単には、ご破算にはならない。

日本の元旦がなくならないのと同じだ。誰か高名な哲学者が「もう元旦は死んでいる」といったって、お正月がなくなるとは思えないもの。ただし例えば「天照大御神は俺なんか愛しちゃいねえよ」という刺繍が入ったジャンパーを着て歩く若者が出るとも、私には思えない。

だから、多分に形骸化しているとはいっても、西洋の国からクリスマスはなくならないのだろう。神に愛されたい人々なのだ。

私はすでに三回のロンドンのクリスマスを迎えたわけだが、オックスフォード・ストリートのイルミネーションは、年毎にさみしくなっていく。このクリスマスの電飾は、正確に景気と正比例するから、ついに失業率が十パーセントを越えてしまった九二年は、見るのが怖いくらいだった（ちなみに現在はもちなおして好況。失業率も五パーセントを切っている）。

それとクリスマスが近づくと活発になる、ＩＲＡの爆弾キャンペーンがある。九二年は十月の保守党大会にからんで、十四回ほど爆発があり、前後二週間ぐらい地下鉄・列車のダイヤが予告電話に躍らされて、乱れたり、不通になったりした。

ＩＲＡ（Irish Republican Army）は、武力によるイギリスへの攻撃、北アイルランド（イギリス領）のプロテスタント攻撃を目的とするアイルランド人の非合法グループである。九一年はクリスマス直前の二三日に、首都圏の地下鉄駅を狙って、派手な爆弾予告の電話キャンペーンを繰り広げたものだから、買い物客でごったがえすロンドンの中心部は、大混乱になってしまった。この時は幸いにして死者は出なかったと思うが。

このIRA爆弾キャンペーンは、議会のアイルランド問題審議とかクリスマスなどの年中行事にひっかけて、人々の記憶から消えないように、定期的に、無差別に、しかも執拗に行われる。特にクリスマス時期には必ずキャンペーンがあるので、ロンドンの暗い風物詩のようでさえある。

北アイルランドを除く地域が、アイルランド共和国として、イギリスから正式に独立したのは一九四八年の暮れのこと。北アイルランドは、十七世紀以来イギリスからの植民が多いこともあって、結局イギリスとして残ることになったのだが、一九一九年以来続いているIRAのゲリラ的活動は、その後もずっと続いている。

しかしなぜこれほど血なまぐさいことが続いているのかといえば、イギリスのアイルランドへの侵入・迫害と大いに関係がある。別の言葉でいえば、宗教の名を借りた侵略、プロテスタントのカトリック弾圧であり、無差別の殺戮という消すことのできない歴史があるのだ。

それにしても一般市民や観光客まで巻き込む無差別の爆弾攻撃は、正気の沙汰ではない。イギリス人の祖先のツケは、いったいいくつの爆弾や銃撃で払い終わるのだろうか。と思っていたら、最近北アイルランドでは、IRAの攻撃の犠牲になった人の数より、それに対抗する親イギリス派ロイヤリストによって殺された人の数の方が多いことを知り、この問題の病巣の深さに衝撃を受けている。

ところで私にとってのクリスマスは何だろう、と考えてみた。こんな現実をまったく知らなかった、渡英前のイメージは、昔風、田舎風のファミリークリスマス。暖かい暖炉と家族と犬。クリスマスツリーとプレゼントの山。イブの教会、雪、ごちそうと祈りと笑いと語らい。クリスマスカードのイメージそのもの、だった。

実際に来てみたら、そんなクリスマスは、ほとんどもうカードのイラストの世界だけかなあとも思える現実をいっぱい見てしまい、だからこそ人々は、幸せを絵に描いたクリスマスカードを買ったりするのかなとも思う。

クリスマスが幸せでワクワクするのは、幸運にも環境や愛情に恵まれた子どもたちと、恋の初期段階の恋人たちぐらいかなあ。美術学校の同級生たちくらいの年齢になると、家族と一緒にすごしても、ハッピーというより退屈、なんだそうだ。外国人とか、一人暮らしのお年寄りとか、家族や恋人との関係が崩壊して間もない人は、この時期が、ことさらにつらく感じられたりする。

二五日には、ロンドンのような都会でも、地下鉄・バスが全部動かない。日本のお正月より徹底している。店もほぼ全休になる。ファミリーで暖かく過ごしなさい、と大きなおせっかいをされている気もしてくる。そうすると二年前のパトリックみたいに、どこへも行けず、食べるものもなくおなかを空かせてたクリスマスにも、なりかねない。ただし彼は、私より長くロンドンにいるのだから、多分に誇張された話だと思うけど。

というわけで、私のクリスマスは、そんなことをいろいろ考えたりする日。そして、異国の地にいる外国人の私を暖かく迎えてくれる友人とその家族に感謝する日。

八八年の十二月一日に日本を発ったので、最初のクリスマスは南フランスだった。ホームステイさせてもらっていたマダム・アケーは犬と二人暮らしだったが、クリスマスには娘のミッシェルと赤ん坊のポール、それにポールのお父さんもパリからやってきて、家族のクリスマスの一員として、参加させてもらった。

北ヨーロッパ風のクリスマスツリーと、南フランス風のサントン人形の飾りが一緒になったクリスマスだったが、プレゼントの山の中から、自分のを嗅ぎ分けて、その前から離れようとしない犬のティミーを笑ったり、私からのプレゼントを喜んでもらったり、私も心のこもったプレゼントをもらったりして、大感激の日だった。ただし、その中にも婿姑問題（正式の婿ではないが）があったのは、私もうすうす感づいてはいたのだが。

ロンドンに来てからは、ヘレナが毎年クリスマスの日に、家まで車で迎えに来てくれて、家族のクリスマス・ディナーに招待してくれている。クリスマスが近づくと、二五日の予定はあるか、うちに来ないかといってくれる人が何人か必ずいてくれて、その度に私は、こんな風に他人のことを考えてくれる人々がいるイギリスという国には、捨て難いところがあると、つくづく思う。

日本にいた時、身近ではなくても外国人や、一人暮らしの人をお正月に家に招んだりすることを、思い付きもしなかった私である。外国でのクリスマスを通して、人の善意に出会い、前より少しは、他の人のことも考えられる大人になれたと思う。この気持ちを忘れないようにしたい。

さて、ヘレナの家に着くと、ディナーができるまで、台所で働く両親をよそに、ヘレナと妹のアリスンと私は、デザートのトライフル用のクリームの残りをなめたり、ネコをからかって遊んだり、あわててプレゼントを包んだり、しゃべったりしている。

ディナーは、お母さんのアイデアとハーブを盛り込んだ詰物をした七面鳥のローストにたっぷりのグレービー・ソース。ジャガイモ、ニンジン、芽キャベツ、インゲン、カリフラワーなどの茹で野菜がたっぷり。野菜も塩コショウか、グレービー・ソースで食べる。飲物はワイン。

デザートは、私の大好物のトライフル。スポンジケーキを底にしいて、その上にラズベリーのプリザーブ、カスタードクリーム、そして生クリームをたっぷりかけたお菓子。プリザーブにはラム酒がきいていて、甘さもちょうどよくって、おかわりをしないではいられない。

その後にツリーの下に山積みになったプレゼントを開けましょうとなるのだが、カード一枚、小さなプレゼント一個にも、すごい笑いとか感動が表現されるので、一人二、三個ずつも開けるとみんな急に疲れて、あとはまた後にしましょう、ということになる。

そこで、突如としてネコへのクリスマス・プレゼントと余興を兼ねてマタタビ・ショウが始まる。大きな布を広げ、マタタビ効果のあるキャットミントの葉を散らし、ネコを三匹転がして、三者三様の恍惚状態に入っていく様子を見物して、笑い転げるのである。こんなに無作法に笑ってはネコに悪いかなって気もしたが、ネコもプレゼントのキャットミントで恍惚としているのだから、いいか。

クリスマスはやっぱり、異教徒の私もネコも、神様に愛されたい日、幸せを人と分け合いたい日である。

ティーパーティ

ロンドンで二度目の冬を迎えた頃、クリスマスを前後して、ティーパーティや、ホームパーティへのお誘いを、四つほど受けた。ひどくよそ者のような感じがしていた一年目とは、ずいぶん違ってきた。少しずつ地元にも受け入れられてきたのかな、という気がして、うれしかった。

前からときどき招んでもらっていたのは、セルマのティーパーティ。彼女とは、語学学校のすぐ裏にある、アダルト・スクール（市民講座）のフランス語のクラスで知り合った。ずいぶんと語彙が豊富なので、びっくりしていたら、昔フランス人のボーイフレンドがいたたし、デベナムというデパートのファッション・バイヤーもしていて、パリにはよく行っていたから、ということ。

セルマのフラットは、瀟洒な住宅地のセントジョンズウッドにある。私の家から散歩がてらに歩いていっても、三〇分ぐらいだ。一人暮らしのセルマは、ときどき日曜日に、気楽なアフタヌーン・ティーパーティをする。小じんまりした居間だから、四人から多くても七、八人がせいぜいだけど、アットホームで楽しい。それに私にとっては、いつも誰か新しい人と知り合って、話ができるチャンスがあるのがうれしい。

ティーパーティは三時半から四時の間に始まる。たいてい花とかチョコレートとか、ちょっとしたものを持参する。こんにちは、と中に入ると、まず他のお客さまに紹介してくれる。簡単な自己紹介をしあっていると、セルマが、さあさあお飲物は何がいいかしら、いつものミルクティーね、おかわりの人は、とかいがいしくお茶を運んでくれる。

テーブルにはお菓子のいろいろが、載っている。その時によってバラエティは違うが、ミンスミートパイ、グーズベリーパイ、アップルパイなどのパイ類が数種類。アソートのビスケットに、チョコレートなどのスポンジケーキ類。ミントチョコやオレンジチョコなどのチョコレート類もたっぷりある。これにマコロンとか、メレンゲ、

Thelmaの部屋とTea Partyのおかし、いろいろ
イギリスはベリーが豊富
Gooseberry Pie
Mince Pies
あったかいうちに。
パイの中には ○○○などの果物や
レーズン類、ブラウンシュガー、ジンジャー、
スパイス、ラムなどを熟成させた
フィリングが入ってる
クリーム
カスタード
ラズベリーなどの
プリザーブ、ラム風味
スポンジケーキ
Trifle
入り口
向こうは
キッチン
Scone
半分に切って
バター、ジャム＋クリームをべっとり
Sandwich
手軽につまめる
キュウリ、ハム、チーズ、スモーク
サーモンなど

キャンディが加わることもある。これらを何杯ものミルクティーとおしゃべりと共に、流しこむのだから、さすがの甘いもの好き人間の私も、しまいには、薦められても、もうこれ以上食べたら具合が悪くなるところまでくる。アフタヌーンティーにおよばれした日は、夕食はおなかがとうてい空かないから、もちろん食べられない。

時に、男性連中が先に帰り、女性だけになると、ファッションの話に花が咲き出して、セルマが隣の部屋から思い出のスーツとかドレスを持ち出してきたこともあった。私にはもう入らないけど、ちょっとあなた着てみたら、と友人に着せてみたりする。私にも、例のフランス人のボーイフレンドとしょっちゅうパーティに出かけていた頃の、真っ赤なジョーゼットみたいなドレスを薦めようとしていたけれど、途中でロマンスの思い出がよみがえってしまったらしく、やっぱり記念にしまっておくわ、となって、もらいそこねてしまった。この時、私たちはすでに、ティーではなくて、ワインを飲んでいた。その日は、家に帰りついたのが九時半。九時までのティーパーティには笑ってしまった。

ところで、私はセルマの部屋のインテリアも好きだ。彼女はブルーが好きで、小物類にもブルーをたくさん使っている。例えばティー用のマグカップは、日本製ではないかと思うが、白地に紺の模様。植木の鉢も同じような白地に紺の模様の陶器だ。ブルー系のビンとビー玉（マーブルといっていた）を窓辺などにコレクションしている。壁は白いが、居間のソファはウィリアム・モリスの柳のデザインである。カーテンも、同じのにするといっていた。先日の電話では、また模様替えをしたといっていたから、次のティーパーティが楽しみだ。

さて、ちょっとアレンジのきいたティーパーティもあった。大学の先生をしているジョージの自宅でのティーパーティがそう。ジョージと知り合いになったのは、別の友人のティーパーティでである。

ヨーロッパはもちろん、アラブやアジアの文化にも多大な関心を寄せるジョージだけあって、二十人ほどのお客さんは、国籍も年齢も、また仕事や研究のテーマもさまざま。

二十人もいるので、立食ティーパーティという雰囲気だ。ティーはどれだけでもおかわり自由なのは、いうまでもないが、この日は、パイやビスケット、サンドイッチの他に、ジョージの手作りの具だくさんのサラダと、なんと山菜いなりずしも登場して、人々の好奇心と食欲を満たしていた。

この日はクラシック音楽の愛好家が数人いて、即席とはいってもなかなか息の合った演奏まで聞かせてもらった。なかには、音楽療法の研究をしている人もいた。もっとびっくりしたのは、大学院で魔法の研究をしているという人がいたこと。思わず聞き違いかと思って、聞き返したほどだ。本人はごく普通の若者だった。

しかし翌日、美術学校の同級生にティーパーティの話をしたら、びっくりされた。まだ、そんなノスタルジックな風習が残っていたの、というわけだ。でもその同級生は、そんなの古いというんじゃなく、いいね、という意味でいったのだ。若者だけのパーティは、というと年寄りくさく聞こえてしまうけど、ヘビイな音楽と酒と煙草とバカ騒ぎ。酔ってくると、麻薬も出てきたりするので、この手の若者のパーティとは、一線を画しておきたい今日この頃ではある。

その対極のような、ジョージの家のティーパーティで、ひとつ気がついたこと。二十人はいたのに、一人も喫煙者がいなかったこと。セルマの家も禁煙だし、思い出してみると、他のティーパーティでも、煙草を吸っている人を見た覚えがない。ティーパーティじゃなくて、普通のアルコールありのパーティでは、わりと煙草を吸ってる人はいたから、私がティーパーティを好きな理由は、ここにもある。

というのも、私は煙草の煙りが苦手で、イギリスへ来てから、ますますひどくなった。というのも、普段、地下鉄・バスはもちろん列車もティールームも公共施設も、禁煙エリアが確保されていて、普段は煙りのことを気にせずに暮らせるからだ。

最近思うことは、これが十数年前だったら、好きな人が喫煙家であっても、迷わず愛をとっただろうけど、今なら、迷わず愛を捨てるだろうということ。友人なら愛煙家でもそれほど気にならないけど、恋人の場合これだけはゆずれない。ま、これも捨てる愛があれば、の話ではあるが。

春のいちばん最初の日

冬の朝はなかなか明るくならず、午後は二時半頃に暗くなってくる。昼間もどんより、空も街も灰色。話には聞いていたけれど、イギリスの冬は暗い。陰鬱である。地の底へ、ずずーんと沈みこんでいくような精神状態になってくる。特に、抜けるような青空の広がる関東の冬に慣れている私には、つらい。

　と思っていたら、何のことはない。周りの友人たちも、ゆううつで仕方ないという。ジェインは、「もう太陽の色も形も思い出せないわ。冬はいつもこの世の終わりだって気がして、滅入って滅入ってしようがないわ」という。

「あら意外。滅入っているのは、私だけか

と思ってたのに。それに、生まれたときからイギリスにいても、この気候、慣れないの？」

「悪いけど、レイコ、生まれたときからここにいても、一生この冬の陰鬱さには慣れそうもないわ。それにこの時期、気が滅入ってない人間を探すほうが、難しいと思うよ」

そうか、人間考えることは、誰しもそう違ってはいないのか。そうわかったからといって、自分のゆううつが取り去られるわけではない。ジェインと、太陽って三角だったっけ、灰色だったっけ、などと盛り上がらない冗談を力なく、いいあったりするだけなのだ。

それでも年が明けると、滅入っているだけの人間とは違って、自然界では今年ももう、着々と春への準備が始まっているな、と私の鼻が感じ始める。ハムステッド・ヒースへ散歩に行ってみると、樹々には思ったとおり、堅い小さな芽がついている。枝先にネコをつけている木もある。猫ではなく、尾状花のネコ。よその家の花壇をのぞくと、そろそろスノードロップが咲く気配。

二月も下旬に近くなると、ずいぶんと日が長くなってきて、寒さがゆるむわけではないけれど、時折顔をのぞかせる太陽の輝きも、確かに明るくなってきてるな、と感じる。

芝生のあいだから、ツンツンとした緑の葉っぱが出てきたと思ったら、あっという間にスプリング・クロッカスの黄色、白、そしてパープル。

花屋さんには、温室咲きの黄色いダッフォディルが、きゅっと束ねられて登場する。ワーズワースが詩にうたったあのダッフォディルである。「すでに死んでいる白人男たち（dead white men）」を男性優位社会を作りあげた元凶とみなしている、西洋思想史の先生のキャロルは、ワーズワースと聞いただけで、吐き気がするというのだが。ワーズワースも「すでに死んでいる白人男」のひとりだが、彼女が特に嫌うヴィクトリア朝にかかって生きており、しかもロマンティックなのが、余計いけないらしい。彼女の前では、ロマンティックの他に、カントリーとか、ホームメイド、グッド・ハウスワイフとか、ローラ・アシュレーといった単語も吐き気のもとになるということで、禁句だ。

ところで、スプリング・クロッカスが咲いたからといって、花屋さんの店先に黄色いダッフォディルが登場したからといって、もう春だ、としみじみとした喜びにひた

誇らしげに咲きみだれる黄色いダッフォディル。

るのはまだ早い。イギリスの春は来ると見せかけて、すぐには来ない。日本の三寒四温みたいなものかもしれないが、穏やかな日が続くと、また冬に戻って、行きつ戻りつ、という感じでやってくるのだ。

南フランスの春の来方とはまったく違う。最初の冬の終わりを、エクサン・プロヴァンスで迎えた私は、たった一日にして、完全な春がやってきたのを見た。前日まで、こぶしを握るように堅くつぼんでいたプラタナスの葉が、魔法をかけられたように、ある日いっせいに開いたのだ。

「プロヴァンスの春は一日でやってくる」と『ゴドーを待ちながら』の一節に書いたのは、アイルランド人のベケットだったが、その気持ちがわかったなあ、と思ったのはロンドンの屋根裏部屋で初めての春を迎えた時。窓の外に見えるプラタナスの葉が開ききるのに、約一カ月かかったのだから。

毎日、開く瞬間を目撃しようと窓の外をのぞいていた私だが、そのたびに肩透かしをくった。確かに昨日とは、ほんの少し違うようだ。でも、どこが違うかよくわからない。プラタナスと、だるまさんがころんだ、をやっているみたいだった。

イギリスの春は、こんな風に道草を食ったり、素知らぬ振りを装いながらも、確実にやってくる。

去年の三月の二十日頃のこと。何ということもなく、いつものヒースを歩き、ふと土手に歩を運んだ私は、一瞬、言葉もなく立ちすくんだ。白樺に囲まれたいつもの芝草の土手が、一面、ダッフォディルの野原に変わっていたのだ。緑の芝草の中に、明るい黄色い顔、白い顔をほこらしげに空に向けた、ダッフォディルの野原を見つけたとき、ああ、今日まで生きててよかった、と心の底から思った。

きっと昔から、たくさんの人々が、長い冬の後、ダッフォディルを見つけて、同じことを思ってきたのではないだろうか。今日まで生きててよかった、という思いを抱いた日。それがイギリスの春の、ほんとうの最初の日。

早春の街角。芽吹きはじめた葉。オースチンのタクシー。レンゲの低い塀。道路に映った樹々の枝模様。私の好きなロンドンの一シーン。

PART 5

ロンドン人間観察

イギリス人の地獄

ロンドンの地下鉄《チューブ》は小柄だ。特に私がいつも利用しているジュビリー・ラインは、文字どおりチューブのように丸っこくて、背の高い人は、からだを折り曲げるようにして、乗らなければならない。

ロンドンっ子たちは、このチューブの近ごろの混雑ぶりは、この世の地獄のようだと嘆く。「東京での混雑ぶりはロンドンの比じゃないよ」というと、たいてい「や、やっぱりロンドンよりもひどいのか。ニュースでは見たが、半信半疑だったよ」と驚いている。この人たちが、毎日東京で電車通勤するようになったら、人生観変わるかもね。

しかし明らかにロンドンの地下鉄は、ま

だこの世の地獄の地位を得てはいない。なぜかというと、先日私は、その地下鉄内の広告で、彼らにとっての「この世の地獄」の定義を知ったからだ。

その定義は、『ザ・タイムズ』紙土曜版の広告に出ていた。文芸記者フィリップ・ハワードによるコラム「イギリス人のこの世の地獄」が、丸ごと引用されている。彼によればそれは、

「ドイツ人が警官で、スウェーデン人がコメディアン、イタリア人が軍隊で、フランス人が道路工事人。ベルギー人がポップ・シンガーで、スペイン人が鉄道を動かし、トルコ人がコックで、ウエイターがアイルランド人。そして、ウエールズ人が聖職者で、スコットランド人がバーを経営し、ギリシア人が政府を動かすところ」だそうだ。

ハワード自身はイングランド人にちがいない。今では同じイギリス人のはずなのに、ウエールズ人、スコットランド人、(北)アイルランド人も含めて外国人扱いしているから。自分のことだけ棚に上げて、よくこれだけいいたいことをいったもんだ。

ロンドンの地下鉄・鉄道は、しかし、イングランド人のノー天気とは裏腹に、確実

に「この世の地獄」への道を歩みつつあります。世界に先駆けて実用化された地下鉄は（またも出ました産業革命）、老朽化の波に洗われつづけ、平たくいえば、ガタが来ているのだ。それなのに、修理にあてる予算が不足している。

かくして、信号やポイント故障は朝めし前。ドアが閉まらない、あるいは走ってる途中で開いてしまうということもある。長いエスカレーターが故障で何日も、ヘタすると何カ月も止まったままだったり。何か事故があると、アナウンスが流れるが、マイクの性能が悪くてほとんど聞きとれない。まわりの人たちに聞いても、たいてい肩をすくめてわからなかったという。もともと人員削減で、職員は少ないので、職員が遅刻したりすると、駅がすぐ閉鎖になってしまう。事故に加えて、なんだかわけのわからない理由で、ダイヤの乱れること、乱れること。

おまけに車内は汚く、ゴミも散らかっているから、座るときも気をつけなければならない。車内には、「座席はお尻をおくところ、足は床に置きましょう」なんぞというポスターが貼ってある。そのポスターの真下の座席で、長い足を向かいの座席の上に投げ出している不埒なヤツもいる。性能の悪い、ウォークマンタイプのカセットプレーヤーから漏れる音楽公害もある。まあ、走っているときは、どならないと会話もできないぐらいうるさい音をたててくれる地下鉄だから、音楽公害ぐらいたいしたことないけど。

油断していると、駅をとばして走ることもある。これも安全確保のための駅の閉鎖とか停電のあおり。どこまでがIRAの爆弾予告なのか何なのかよくわからない。

特にIRAが派手に爆弾活動をしているのは、湾岸戦争やクリスマス、アイルランド関係の国会審議や、ベルファストでのテロリスト逮捕の時など。警告だか、報復だか、いやがらせだか知らないが、地下鉄の駅に爆弾をしかけたと、頻繁に予告電話があり、そのたびに乱れに乱れる。実際、ヴィクトリア駅では爆破により、多くの死傷者を出した。そんなこんなで、ロンドンの地下鉄が、押しも押されぬ「この世の地獄」の地位を確立する日も近いだろう。

ところでこのところ、ブリティッシュ・レイル（国有鉄道）の私企業化の案が進められているようだが、「この世の地獄」の記事を見たのと同じ頃、やはり同じ『ザ・タイムズ』紙が車内広告に載せたエッセイに、こんな文が出ていた。

「ブリティッシュ・レイルのダイヤの乱れ（遅れ）が問題になっている。そこで国鉄では、この原因は列車の時刻表を定めていること自体に問題があると判断。時刻表の撤廃を検討しはじめた。それにより、列車の遅れはなくなるはずである」

イギリス人特有の冗談ととっていいのか、大真面目なのか判断に苦しんで、マイクの家でのパーティのおり、話題にしてみた。ルイーザが「私も見たわ。本気かしらね」と首をかしげていたが、そのうちにマイクが、「時刻表があろうがなかろうが、僕たちの生活にはあまり変わりはないさ。今だって、時刻表どおりに走ってる列車はそうないんだから、かえってストレスがたまらないかもしれないな。じっと待って、何しろ来た列車に乗ればいいわけだから」といいはじめ、他の人たちも「正にそのとおり」などとなごやかに笑っている。

この人たちは、「この世の地獄」の中でも、けっこう穏やかになごやかに、暮らしていくんじゃないだろうか。

犬のしつけ、飼い主のしつけ

「すくって、包んで、捨てましょう。ありがとう」という標語の書かれた黄色い札が、最近近所のあちこちに貼られている。緑化推進の隣組の作である。

何を、「すくって、包んで、捨てるのか」というと、もちろん、犬のフンである。パリほどではないが、ロンドンの住宅街や、芝生にも、犬のフンがあちこちに落ちている。イギリスの犬はしつけがいい、などというが、飼い主のしつけのほうは、もうひとつ徹底されていないようだ。

だから、「あら、もうツタが紅葉してきたのね。きれい」などと、散歩のおりに、上ばかり見て歩くのは危険である。そのうちに、「ヤッター、踏んだあ」と叫ぶはめになるからだ。フンとの遭遇談になれば、私はかならず勝つ自信がある。というのも、家の中でさえ、フンを見事に踏みぬいてしまったこともあるからだ。ロンドンに日本人多し、といっても、そんな人はめったにいないはずだ。

アマンダと犬のリリーと住んでいたときには、人に聞かれると、つい「フラット・シェアしているの。犬一匹と……」と、アマンダの名まえより先に犬といってしまい、いつも噴き出されてしまったものだ。

犬好きの私だから、犬に関しては思い入れも、意見もある。で、実害があったときだけだが、犬のリリーのしつけに関しては、何度か同居人のアマンダに苦情をいった。

わが同居人は、イギリス人らしくもなく、「でもねレイコ、犬は犬なのよ」と、しつけのいたらなさを正当化しようとするから、私は厳しい顔で、

「犬だって、しつけをされれば、何をしてはいけないか、いいか、理解できるようになります。私は日本で犬を飼っていたし、いかにしつけが、単純なことの繰り返しで疲れるものかも知ってるわ。でも、それは飼い主の責任よ。犬と人間がうまくやっていくために、必要なことじゃないかしら」と折れない。

プリムローズヒルを自由に散歩したり
○○したりする犬たち
Dog Waste only
We bet his owner uses a
poop scoop.
Scoop it, Wrap it, Bin it
Thank you
Royal Parks
しぶいgreenに
金のストライプも格調高い
犬のフン捨てBOX
犬のフン放置をやめましょう
運動をしている 隣組のチラシ

議論の末にやっと、「そうね、やってみるわ。この近くには、愛犬のしつけ教室もあるって聞いてるし、行ってみようかしら」ということになる。

私の思い、わかってくれたのね、と満足するのは、しかしまだ早い。彼女は、犬の叱り方のコツとタイミングを知らない。いけないことをしたその場で叱らなければ、何の意味もないのに、忙しくていつも疲れているせいか、叱り方もおざなりで、効果がない。結果として、犬は同じ間違いを、何度となく繰り返す。利口な犬なのに残念だ。しつけ教室にも、結局行かなかった。

しかし、総体的には、確かにこちらの人々は、犬を人間に従わせるのがうまいと思う。見ていると、犬と人がうまくやっていくためのルールを徹底させ、主従関係をはっきり認識させている感じがする。

だからリリーは、私の友人たちに評判が悪い。ミリアムやベールントなどは、完全に腹を立ててしまったくらいだ。そんな時は立場を一変して、リリーの弁護に回るのだが。

特にベールントは、リリーが正常に見えないことと、自分にほえること、その原因が飼い主にあると結論づけるや、腹を立てて、私にとうとうと不満を並べたてる。

「彼女は犬を飼うべきではない。彼女には、学校、仕事、友人、趣味の活動と、外での楽しみがたっぷりあるじゃないか。リリーには、彼女しかないというのに。アマンダがリリーを必要とするのは、家にいるあいだだけだろう。でもリリーには、極端にいえば二四時間彼女が必要なんだ。見てたらわかるだろう。それなのに、薄暗いフラットにほったらかしにして……あんな利己的な飼い方はまちがっている。そうだろう」

そんなこと、今更そんなシリアスな顔でいわれなくたって、とうにわかっておるわい。しかしアマンダ以外には心を開こうとしない犬に、私が何をできるのよ。あの犬は、おもちゃを投げても、拾ってくるという遊びすらできないんだよ。だから、私に怒りをぶつけるより、当のアマンダにいったらどうなのよ、と私はいう。

それは正論だが、とぶつぶついっていた彼だが、帰ってきたアマンダと台所ではちあわせると、

「いやあ、ここは眺めのいいフラットですね」などと、急に外交辞令になっている。

「でしょう。ところであなた犬はお好き？　リリーはいいこだったかしら」と聞かれると、

「え、ええ、まあ。いえ、ちょっと僕はほえられて……」と歯切れが悪い。

「リリーはとっても、フレンドリーなのよ。でも最初はちょっとシャイだけど」といわれると、

「ええ、そのとおりですね」だって。大嘘つき。さっきの勢いはどうした。

後で早速、私に毒づいたときとはえらい違いじゃないのよとからかったら、さすがに苦笑いしながら、

「やっぱり本音はいえないよ。きみだって、同居しててもいえないだろう」

たかが、犬のしつけのこと。だけど、飼い主の生き方に意見することにもなるだけに、そこまではいえないよなあ。それをいっちゃあおしまいだもの。


それはさておき、犬の飼い主は、犬のフンを公共の場所に放置してはならないことになっている。「フンを放置すれば、罰金五〇ポンド」という地方自治体の警告の札もあちこちにあるが、これの現行犯逮捕は至難のワザであろう。いまだ罰金を払ったという人に、お目にかかったことはない。

愛犬家の国イギリス。ルールを守ってけなげに生きる犬、盲人の方たちの手となり

コベントガーデンに遊びにきていた犬二匹。

足となって働く利口な犬たちをあちこちで見るたびに、犬のフンだけでなく、スナック菓子やチョコレートの包みも、無神経に電車の中や道路などに捨てて放置していく飼い主たる人間どものふがいなさを、憂えてしまう。犬のしつけも大事だが、飼い主のための、飼い主しつけ教室も開く必要がありそうだ。

二人の女王

一九九一年七月九日火曜日、バーバラ・カートランドが、九〇歳の誕生日を迎えたというニュースが、ＢＢＣブレックファスト・ニュースで流れた。

文字どおり、朝食をとっていた私。朝の八時台に、ショッキングピンクのロングドレスに身を包み、まぶたじゅう、真っ青なアイシャドーを塗りたくった、この世のものならぬ女性を見るなんて思いもよらないから、目がマルになったまま、画面にクギづけになってしまった。

バーバラ・カートランドといえば、泣く子も黙るロマンス小説の女王。二十世紀のイギリス女性たちに、甘いヴィクトリア朝の香りのロマンスを送りつづけてウン十年という。半世紀以上であることは、間違いない。ハーレクイン・ロマンス発刊に、おおいに影響を与えたのも彼女にちがいない。

ロマンス小説は、ひと言でいえば、産業革命後のシンデレラ物語。それも、女性の都合で見る一流の男との恋と結婚のおはなし。ここでいう一流の男とは、貴族や名門という家柄、ルックス、財産が申し分なく、有能で知的な職業についていることが条件。例えば、実業家・弁護士、医者など。女性には大いにモテるのだが、主人公の女性しか愛さない誠実、かつ一途な人柄であることも不可欠。

ところでバーバラはとてつもなく多作な作家で、一説には八百冊といわれているが（九九年に見た彼女のウェブ・サイトによると「約百万冊」とあって笑える）、フェミニストたちがムッとするような、あるいは、隠れてこっそり読むようなロマンス小説が、営々と二十世紀に書きつがれ読みつがれているなんて、考えさせられるものがある。

十九世紀末あたりから起こった英米のフェミニスト運動の発展とともに、この英国的ロマンス小説の売れ行きも、伸びていったのではないだろうか。特に七、八〇年代には、英米でのフェミニスト運動の飛躍と、ロマンス小説の売れ行きの伸びは、ほぼ同じ上昇カーブを描いているはず、と私はにらんでいる。必要があっての運動ではあるが、行き過ぎと誤解によって起こる反動もまた、大きい気がする。あるいは同権もほしい、一流の男の後ろ盾もほしい、というのが女性の本音なのか……。

男女同権は、有色人種と白色人種が同権なのと同じく、当たり前だと思っている私だからか、ロマンス小説でいう一流男には魅力は感じない。だから読んでも退屈してしまう。

でも、バーバラ・カートランドみたいな、その道一筋に生きている人は好き。ショッキングピンクのドレスや厚化粧より、彼女の声の張りと、その生き方の哲学の若さに、もっとおどろいた。

「頭はいつも使ってなきゃいけません。九〇歳になったからって、小説を書くペースは落としませんよ」

フェミニズムの運動家たちからは、百害あって一利なし、とヤリ玉にあげられてますが、それについてのコメントを、というインタビュアーには、

「私のロマンス小説は、普遍的な愛の形を描くものですからね。フェミニストの時代といっても、いつか流れはまた、私のほうへ戻ってきますよ、きっと」

と、嫣然《えんぜん》と答えている。大物だ。

「私はね、人も自分もハッピーに生きることが好き。そして、人をハッピーにするのは、愛よ。おおいに、愛を追い求めましょう、ほほほ」

信じるものをもっている人って、強い！

一九九二年夏、息子やその妻たちの愛の問題で、ジャーナリズムの餌食にされ、ハッピーではなさそうな人といえば、エリザベス女王である。

個人主義で、あまり他人のことには口出ししないし、興味もないかに見えるイギリス人のよくわからないところは、彼らが政治家や王室、特に王室のゴシップが大好きだというところだ。

イギリスの新聞には、『ザ・タイムズ』をはじめとするクオリティ紙と呼ばれる、まあインテリ向けの新聞と、『ザ・サン』を筆頭とする、庶民版タブロイド紙とがある。たいてい王室のゴシップ記事は、スクープ写真なるものと一緒に、最初にタブロイド紙の一面にカラーで載る。

例えば、女王の次男アンドルー王子の妻で、ファーギーことセアラ妃とその愛人（?）との休日。プリンス・チャールズ、そしてダイアナ妃もかわるがわるヤリ玉にあげられる。気の毒なくらいだ。

ある日学食で、王室のゴシップが始まり、突然私に、「ねえ、アンドルーとファーギーの関係はすでに、壊れているらしいけど、彼らの離婚に、あなただったら賛成する？」などと、大きなおせっかい的な質問をされたので、「彼らの仲が壊れていようがいまいが、離婚しようがしまいが、私の知ったこっちゃないよ。二人で話し合って、好きなようにすればいいんじゃないの」と正直な感想を述べた。

そうしたら、向かいの同級生たちが、信じられない答えを聞いたという顔で、「ええ」と息を呑むではないか。まるで私が、王室関係者の離婚問題の責任を、放棄したのを責めているっていうふうだ。

なんだってそんなふうに、王室というと、離婚問題やら何やらに首をつっこみたがるのか、私には不思議だ。日頃の個人主義のヒズミを、すべて王室に向けているんじゃないかと思うことさえある。

ダイアナ妃とある男性との愛の電話テープなるものを最初にスクープした新聞は売り切れが続出し、それをまたテレビのニュースでも流す。そういう記事を好んで載せるのはタブロイド紙だけかと思ったら、『ザ・タイムズ』紙などにも、堂々カラーで出ているではないか。

ということは、イギリス人にとって王室だけは、血がつながっていなくても他人事ではないのだろうか。

しかし、自分の家族の一員のことのように、王室のプライバシーに首をつっこんでるくせに、愛し親しみを感じているのかというと、そうともいえないようだ。

というのは、先頃新聞に、とうとうエリザベス女王が来年から、王室の収入に対して税金を払うことに同意した、という記事が出ていたからだ。

王室も税金を払うべきである、という世論があるのは知っていたが、こんなに早く具体化するとは思っていなかった。ただし、すでにある莫大な固定資産については、税金から逃れられる模様。

この税金支払いに女王が同意したことを、王室存続の危機ととる人もいるようだが、歴史から見ても、英国の王室が安泰でいられた時代のほうが、圧倒的に少ない。常にスキャンダルと存続の危機とは裏腹だったわけだ。

イギリスは女王の時代に栄える、ともいわれる。広い海に繰り出したエリザベス一世の時代、産業革命後の十九世紀のヴィクトリア女王の時代、そして今、エリザベス二世の時代。

私は、特にこれら女王の時代の英国に興味を抱いている。理由は、この三人が、比較的長いあいだ女王の立場にいて、そのときの英国の文化、産業、政治のどれをとっても非常に面白い時代だからだ。そして、この三人はみんな、なかなか切れる人物と見受けられるからだ。

九二年はエリザベス女王の即位四十周年にあたり、テレビでも、素顔の女王に焦点をあてたドキュメンタリーが放映された。九二歳にして、尚かくしゃくとしたクイーンマザーと共に、聡明で堂々としたエリザベス二世に、ますます好感を抱いてしまった。だから、昨今のスキャンダル暴露騒ぎが、ますます気の毒に思えてならない。

私には考えの及ばない政治的な世界はあるにはちがいないが、王室のメンバーも一般人と同じ人権をもっている。あれほどジャーナリズムのいけにえにされる必要性があるのだろうか、と私は釈然としない。王室としてのモラルが問われるならば、ジャーナリズムの側のモラルも当然厳しく問われるべきだ。

そんなことを思っていたら、プリンス・チャールズとダイアナ妃の別居、そしてウインザー城の大火事と、たてつづけに起こってしまった。

人は愛なしには、ハッピーになれない。しかし、愛だけでもハッピーにはなれない、のが現実のようだ。

〈追記〉

なんとバーバラ・カートランドとクイーンマザーはまだご健在である。もっとも若いダイアナ妃が、さんざんジャーナリズムのいけにえにされたあげく事故で亡くなったのは、気の毒でならない。でも今は静かな天国でホッとひと息ついているのかもしれない。

レイプとフェミニズム

日本では、口角泡を飛ばして、男もお茶をいれろだの、皿を洗えだの、育児に参加しろだのと、学者たちまでが議論する時代になった、と友人からの手紙にあった。まさかそれだけをフェミニズム運動の争点とはしていないと思うけど、一挙に重箱のスミのつつき合いにいっちゃったら先は暗いなあ、などと思う今日この頃。

こちらイギリスでは料理を作ったり、皿を洗ったり、お茶をいれてくれる男の比率は、日本よりは高い。ところが同時に、レイプの発生率もずっと高い。大きな社会問題のひとつにもなっている。てことは、皿を洗ったり、お茶やお酒をかいがいしくついだりする片手間に、レイプしている男もいるってことではないだろうか。ロンドンでは、男が皿を洗うぐらいで、ありがたがってはいられない。

じっさい、東京にいたときよりも、はるかに外での緊張度は高い。昼間でも、人気のない場所には極力行かない。気軽に声をかけられても、ついていかない。帰りが遅くなるときには、なるべく地味な恰好をする。地下鉄なんかで酔っ払いに、顔が赤くなるようなことをいわれても、聞こえないふりをして耐えて、身の安全のみを心がける。暗い道を歩かなきゃいけないときは、常に、攻撃されたときの、効果的な反撃方法を考えつつ、速足で歩くか、いっそ走ってしまう。レイプされそうになったら、わたしはエイズです、といおうとか。

つねに、理不尽な暴力とレイプの恐怖なしには暮らせない。そして、その恐怖の的は、かならずオスに決まってる。それでも、ロンドンは、パリやニューヨークに比べたら、まだ安全と聞く。でも女性が身の安全にいつも気をつけなくてはいけないような国が、フェミニズムの先進国なんていえますか。日本だって、他人事じゃない。西洋式に考えればレイプであることが、レイプと気づかない、見なされない、こともあるんじゃないだろうか。それに、痴漢という、他の国ではあまり例を見ない陰湿な性犯罪が横行しているんだから。

イギリスで、九〇年三月から一年間のレイプの発生件数は、公称一〇三〇件で、前年に比べ、十三パーセントも増えている。ただし、ＢＢＣでレイプの特集番組を見ていたら、届け出をする人は、推定五人に一人。そして、レイプの五七パーセントの犯人は、被害者の顔見知り。つまり少なくとも一度は言葉を交わしたことのある人という統計が出ている。気軽に男の友人も作れない、ということのようだ。

私が通っている学校は、テムズ河の南側で、治安が悪いとされている地区にある。じっさい昨年も、女子学生の何人かが、学校のすぐそばの地下通路でレイプされたり、持物を奪われたりしている。一時、女子学生のあいだで大問題になって、緊急ミーティングが開かれたりした。

安全対策の強化を訴えた女子学生たちへの回答は、暗くなってから地下通路を通らないこと、仲間と連れだって通ること、ということだけ。この国では、冬場は三時半には暗くなるんだけど。男の回答だからこんな程度かな。

でも女性だけが、理不尽な攻撃にびくびくしながら、暮らさなきゃいけないなんて、これ以上の男女差別があるかしら。もっと、のびのび街を歩きたいよ。

自分の身は自分で守れ、というのが基本らしいけど、自分の体重の二倍はありそうなオスが攻撃してきたら、しかも複数だったりしたら、女性に何ができるでしょうかね。

などと不満を書きまくっていたら、ＢＢＣテレビで、なんと「メイル・レイプ」という、男が男にレイプされる実態についての番組がオンエアされた。公になっている数字は、女性の場合の半分強！

しかし、被害者が男の場合のレイプというのは、法律の中にもまだないので、被害者は訴え出ても、一笑に付されたり、おまえはホモだろうなどと決めつけられ、取りあってももらえないことが圧倒的に多いということ。精神的苦痛は、想像に余りある。

一方、日本でフェミニズム運動の争点になっているという、男も家事や育児に参加するべきだ、お茶も入れるべきだ、という論争は、大多数の人の日常生活に関わってくるだけに、今後もますます盛り上がっていくだろう。男性も、うるさい女どもだといわず耳を傾けてほしいと思う。でもそのこと自体は、やっぱり重箱のスミのつつきあい的色合いを帯びている気がする。

受け皿としての社会のシステムが変わっていくためには、夫婦や恋人どうし、あるいは友人どうしで、正面に向き合って、話し合いができる環境から作っていかないと、論争は前に進んでいかないんじゃないかな。

そして、それって日本ではとても難しい気がする。わが国の伝統からいえば、男女がうまくかわしあって、正面に向き合わないことが美徳であり、関係を長持ちさせるコツなんだから。つまり議論そのものが、美徳ではない感じで、反対意見をいったりしたら、人格まで否定されたのと勘違いされて、一生根にもたれたりしそうだしね。

反対にここロンドンの、私のまわりの人たちは、真正面から論争している人たちをよく見る。学校の授業でも、恋人や友人どうしでも。西洋では、議論によって物事を解決しようとするのは明白。人と違った意見をいうことはまったくかまわない、違った意見を主張しあっても、議論が終わればまた、和気あいあいとしている。問題は自分の意見をいわないことで、自己表現ができないと奥ゆかしいと思われるかわりに、無能と思われてつけこまれるのがオチ。

日本の伝統とは水と油ぐらい違う。しかし、こと男女同権問題になると、お互いの欠点や欠陥を責め合って終わる場合が多くて、こちらも結局、重箱のスミをついていることが多いんじゃないかという気がしてくる。

私個人の意見としては、重箱のスミに至るには、レイプの問題も含めて、もう少し、広く深く問題の本質に迫ってみる必要があるんじゃないかなと思う。東洋であれ西洋であれ。本質を枝葉末節とすりかえてアプローチすることの限界を、今感じている。

第一、男性と女性がいがみあって暮らすのは、やっぱりつまらない。人間としての尊厳は、実績や力があろうとなかろうと同じだと、私は思っているし。まあ本音をいえば、かわされるより、やっぱり正面を向いて語り合ってくれる男性のほうが、私はうれしいなあ。

ちょっと話がそれたけど、皿も洗う（？）レイプ男とフェミニズムの関係についてどう思いますか。

イギリス人の歯

バラはあかく
スミレはあおい
おさとうはあまく
あなたもあまい

マザーグースのこの詩を、ふっと思い出してしまったのにはわけがある。恋でもしたのかって？　実はそうなのです、といいたいけれど、人生そんなにあまくない。

私の場合、最後の一行「あなたもあまい」を、「イギリスのお菓子は、あまりにもあまい」に変えたい。

もともとあまいものに目のない私は、調子に乗って、アフタヌーン・ティーに、たっぷりのクリームとジャムをつけたスコーンだの、アップルパイ、クイーン・ケーキやエクレア、ミントチョコレートだの、日本の基準からすると、異常におさとうのきいた、あまいお菓子を食べつづけたのね。さらに口直しと理由をつけて、塩のきいたポテトクリスプ（チップスのこと）の、特にチーズ&オニオン風味なども、添えるようになってしまった。

そして、滞在一年と四カ月目、ポロリと、歯の詰物がとれちゃいました。出っ歯になった前歯の矯正をして以来、歯医者さんには恐怖感をもっていた私。まして、異国の地で歯医者さんにだけは行きたくなかった。異国の歯医者さんというと、どうしても映画の「リトル・ショップ・オブ・ホラーズ」に出てくるサディスティックな歯医者を思い出してしまう。

だけど、ほおっておけば悪くなるばかりだから、勇気を出して近所の歯医者さんに行った。とはいってもすでに逃げ腰で、とれたのだけ簡単にちょっとつけてもらえませんか、とお願いしてみたのだけど、ドクターのミセス・リチャードソンは、全部の歯のレントゲンを撮るとおっしゃる。

そして、わかったことは、私には、虫歯が十六本あるという事実！　そんな恐ろしいことが、あっていいの？　冗談でなく、人生ひさびさのショック。だって、私の歯は、全部で二五本しかないのです。つまりあごが小さくて、三二本どころか、親知らずなしの二八本もはえる余地がない。日本の住宅事情を地でいくような狭いあごというわけなのだ。かたい物を食べる習慣がなくなってきているから、近い将来、私のような人は増えると思うけれど。

それはさておき、全部の虫歯を徹底的に治療します、と使命感に燃えるリチャードソン先生に、私は力なく、

「あのう私、ギンギンギラギラの歯になってしまうんでしょうか」

「大丈夫よ。保険はきかないけれど、白いので治療します。保証も四年間ついているから、安心してね」

というわけで、一時間の予約を四回。きっと私より若いんじゃないかと思うけれど、ミセス・リチャードソンは、ちょっとなまりのある英語で、「痛い？　大丈夫ね。痛かったら片手を上げて、合図するのよ」なんて、やさしい言葉をかけながら、まるで道路にドリルで穴を空けるように、大胆に治療をすすめていく。しかしこの人は、うまい。自分の口の中は見えないけれど、大きな信頼感を抱かせてくれる心理的な要素ももっている。一時間、口を開けているというのは苦しいものがあるけれど、もと

は自分のせい。うがいをする時に、あごの休憩をする。

でもまわりのイギリス人ってみんな、まるで虫歯と無縁にあまいお菓子を食べつづけているように見える。それで、虫歯のいきさつを、友だちのヘレナに話したときに、聞いてみた。

「イギリス人の歯って、何でできてるの？」

彼女は笑いながら、

「日本人の歯と同じものでできてると思うけど、やっぱり虫歯のことは、問題になってるわよ。二十年ぐらい前には、虫歯で、若い人でも入歯って人もけっこういたのよ。それで、私たちの世代は、小さい頃からフッ素を歯に塗ったり、おさとうをとりすぎないようにも教育されたの。それに、ダイエットのこともあるから、気をつけてる人が多いと思うわ」

ふうん、一応気をつけているのか。お菓子のあまさと、まわりの人たちの食べっぷりで見る限りでは、とてもそうは思えなかったが。そういえば、イギリス人の伝統的な食生活だと、約三分の二が糖と油脂で占められるという一文を目にしたことがある。どうも肉食を好めば、お菓子も好むという図式が成り立ちそうだな。

歯医者さんに払った三六〇ポンド（約九万円）を考えると、あまいおさとうの代償は、学生の私にはあまりにも痛かった。それでも、アフタヌーン・ティーにお菓子の食べられない人生なんて、考えられない。もちろん気持ちが悪くなるまで食べたりしないけど、食べたら歯を磨く、デンタル・フロスで歯と歯のあいだのそうじをする、磨けないときは、常に携帯しているデンタル・ヘルス・ガムをかむ。半年に一度は、定期検査でリチャードソン先生に会いにいく。そしてまたアフタヌーン・ティーを心ゆくまで楽しむ。

そんな人生（というほどでもないけど）なら、そう悪くはないと最近では思っている。

測定法について

この国の人たちって、ほんと何考えて、物事をこんなにややこしくしてしまったのだろう、と思うことがある。それは尺のこと、つまり重さや距離の測定の仕方である。

お金を十二進法で勘定する時代に、イギリスに来なくてよかったと、心から思う。もし一九七一年より以前に渡英していれば、一パウンド（ポンド）が二十シリングで、一シリングが十二ペンスという難解な計算をしなければならないところだった。

それに比べれば、コンピューターの二進法なんて、かわいいものではないか。ところが、美術学校の活字（タイポグラフィー）の授業で、のっけからやってくれたのだ。活字の測定 measure について。

最初にもらったプリントは、こんなふうだ。測定のシステムについて。インチ、インチ・デシマル（インチの十分の一）、ミリメートル、パイカ、シセロス（イギリス以外のヨーロッパの単位とか）がある。一パイカは十二ポイント、六パイカは一インチ、一インチは約二五・四ミリメートルである。では、約一インチあるいは二五・四ミリメートルに相当するポイントはいくつでしょう？　答えは、私のことはほっといて、である。

そんなこと知っても、コンピューターを使ってレイアウトする時には、センチとポイントだけで十分なのだから、別に必要ないというと、私と同年代の先生は怒りをおでこのシワにたくしこんで、「安易な道に走ってはいけない。ついこの間まではそれが基礎であり主流だったのだから。基礎をきちんと把握しなさい。コンピューターの能力については、僕は、いろいろと不満がある。使うなとはいわないが、まず自分の目と、基礎を養いなさい」

私が基礎を養うより、イギリスが、測定の単位を、国際単位であるメートル法とキログラム法、そしてポイントに統一するほうが、話はずっと早い、と思うけどな。

EU統合の話が煮詰まっても、まだ、イギリスとヨーロッパなどと、分けて呼ぶ人もいるくらいで、長さはインチで測る。十二インチが一フット（複数はフィート）、三フィートが一ヤードで、一七六〇ヤードが一マイル（約一六〇九・三メートル）である。例えば、身長はフィート、布地はヤードを使う。

重さの単位はパウンド。お金の単位と同じパウンド（ポンド）である。重さの一パウンドは約四五三グラム。ところが、店でハムなど指さして、「それ一パウンド分ください」というと、「重さのことか、それともお金の一パウンドに相当する分量か」とくる。好きにしてくれ、といいたいところだが、そこを明確にしないと、ちゃんと欲しい分量が手に入らない。

では体重もパウンドかというと、これが違うのだ。ストーンという単位を使う。はじめて「あなたの体重、何ストーン？」と聞かれた時には、石器時代の光景が頭に浮かんできたものだ。あなたの体重は石何個分か、というイメージだもの。ちなみに一ストーンは十四パウンドに相当する。

そしてパブでビールを注文するとき、スーパーで牛乳を買うとき、使う単位はパイントである。一パイントは五六八ミリリットルに当たる。ビールはハーフ・パイントが注文するときの最小単位。牛乳のパックにはちゃんと二通りの表示が出ているから、恐れることはない。

ところで、私たちも日常使っているダズン（ダース）は十二だが、イギリスにはフォートナイト、十四という単位がある。これは二週間のことをいう。デケイドといえば十年。一ジェネレーション（世代）は三十年である。百年が一センチュリーなのは、すでに私たちにも親しみ深い。

また四分の一に当たるクオーター。現地人は十五分といわず、クオーターという。量にも、期間にも使う。例えば季刊誌をクオータリーというように。

いかに彼らが奇妙な人種であるか、わかってもらえたと思うが、ひとつ朗報がある。ついに、彼らが学校教育でメートル法を教えはじめたのだ。その最初の世代が、九〇年に美術学校に入学したときに、私より十八歳年下の学生たち。たぶん一九七三年あたりに生まれた世代からである。ソニアとマークがそうなのだが、この二人と、他の学生たちの測定単位がまったく違うのが、見ていて面白くも、興味深かった。文房具屋で売られている定規は、片方インチ、もう一方がセンチになっている。

探せば、まだまだ奇妙な測定の単位が出てきそうな気がする。それにしても、ソニアたちの世代が大勢を占めるには、まだまだ時間が必要だ。それまでは、難解かつ奇妙な単位にせいぜい適応するようにして、手痛いしっぺ返しMeasure for Measureとはならないように、気をつけたいものだ。

〈追記〉

二〇〇〇年の新年から、キログラム表示が義務化された。中年以上のイギリス人は、複雑すぎるとかEUの陰謀だとこぼしているが、私にとってはとっても暮らしやすくなった。

ホモセクシャル

同性愛を意味するホモセクシャルという言葉がある。ギリシア語から借りてきたホモ homo とは、英語でいう same にあたる。same の反対語は different で、それにあたるのがヘテロ hetero である。で、ホモセクシャルに対して、異性愛の人たちはヘテロセクシャルということになる。

一方、ヘテロ社会、ホモ社会という言葉がある。辞書にはない。在仏時代に知り合って、ワインをぐいぐい飲みながら、比較文化論などを戦わす南仏在住のみえこさんと、パリのよしこさんとのあいだでは、よく使う単語である。何かの本に出ていたかもしれないが、思い出せない。

これはヨーロッパ社会をヘテロとするな

らば、日本社会はホモである、という説に基づいている。いいかえれば、ヨーロッパが多様な価値の共存できる、個人の集まりとしての社会とすれば、日本は、唯ひとつの価値と、個人抜きの全体の和としての社会というとらえ方である。

議論に対して、暗黙の了解。個を生かすに対して、個を殺す。前者がヘテロ社会、後者がホモ社会となる。(七年後の視点で見ると、ヘテロ社会とホモ社会という呼び方は差別的だと思う。なぜならヘテロのほうがよくて、ホモは偏狭という立場であるから。でもここでは、社会は社会として、セクシュアリティとは別ものとして考えてほしい。)

ホモ社会で自分の物の見方をつらぬくと、全体の和を乱すことは避けられない。和を乱すとどうなるか。あおによし、が奈良につくごとく、たらちねの、が母につくごとく、常に、あの「ヘンな」という枕詞と共に生きていくのである。

ヘンといわれることがいやなのではない。ヘンというひと言で、切り捨てられるのにヘキエキしているだけだ。だから私は、ホモ社会反対である。

もしも私が、根っからエキセントリックで、極度に個性的な人間だったら、それなりの生き方の選択ができたかもしれない。でも、実際は良くも悪くも常識的な人間だから、非常に生きづらかった。よく今までグレなかったものだ。

いや、ちょっとはグレているかもしれないが、人生長く生きていれば、思わぬ発見と出会いがある。それは、日本というホモ社会のヘテロ思考の人たちに出会えたこと。自己主張をし、人の意見にも真剣に耳を傾け、違っていても切り捨てたりしない人たちも、かなり、いるところにはいるのだ。

しかし、ということは、逆にいえば、一般的にヘテロ社会と呼んでいるヨーロッパ、ここではイギリスに限ってみても、意外とホモ社会の側面があるのだ。それは、ちょっとまぎらわしいが、ホモセクシャルの問題。ヘテロ社会の定義からすれば、他人の意見や生活信条は他人の自由。何種類あっても、自分と必ずしも一致しなくても、たがいに尊重し干渉もせずに共存する、ということだが実際にはどうだろうか。

嘘か誠か、男性の十人にひとりがホモセクシャル（女性は不明）という噂もあるこここイギリス。ついに私の通う美術学校のバーでも、月一回夕方からのホモとバイセクシャルだけの合同スペシャル・デイなるものが設けられた。ホモとバイの親睦と出会いの場として、もうひとつ、やはりそういうことは、なかなか公にしにくいから、という理由からのようだ。少数派としての彼らの人権を認め、擁護し、バックアップするというヘテロ社会の考え方が、根底にある。

しかし、デザイン、ファッション、美容、音楽関係などの職業ならまだしも、会社員など堅めで保守的な職業についていると、ホモ隠しはかなり切実な問題でもあるようだ。第一、ここは同性愛を罪悪と見なすキリスト教の国である。それに同性愛者と知られると、出世にひびくとも聞いた。少なくともひびくという恐怖感をもっていることだけは確かだ。

例えば、『タイム・アウト』のロンリー・ハーツ欄で同性愛の相手を求める広告でも、「一見まったくヘテロ」とか「普段はヘテロとしての行動をしている」とか、涙ぐましい努力をしている人たちも多い。相手への配慮もあるだろう。ちなみに口語的な表現では、ヘテロではなく、ストレートといっている。明るい場所で、抱き合ったりしている同性愛者には、今まで会ったことがない。明るい場所で抱き合っていて、誰からも好奇の目で見られないのは男女のカップルだけだ。やはり日蔭の身はつらいのかもしれない。エイズの根源みたいにいわれたのも、ホモセクシャルだし。

しかし、ヘテロな人間からいわせてもらうと、惜しい。実に惜しい。そして、面倒くさい。何が惜しいか、というと、だって選択肢が減るじゃない。いい男、と思った相手がホモだとわかったときの落胆、それが二度も三度も続けば、いいかげん嫌になっちゃう。とはある友人の弁だけど。

では何が面倒か、というと、友だちならどっちでもいいけど、男性として興味をもちそう、っていう場合、まずそれとなく、しかし厳しいチェックを入れなければならないという、余計な過程が必要なこと。

世の中を、いつもそんな目で見ていること自体への疑問も出てくる。そんな目で見ることも、ヘテロセクシャル人間のホモ思考の現れかもしれない。しかし実際にこのホモ思考で、バツの悪い思いをしたこともある。

それは三年ほど前、アイスランドの荒れ地巡りテント・ツアーに、ちょっとした手違いで参加するはめになったおり、大多数を占めるイギリス人のカップルと、家族の他に、ドイツ人の男性二人組の参加者がいた。テントは二人用である。当然その二人も、一緒のテントを使う。パブロフの犬のように、私たちは、あ、そうなのね、と思った。

その二人は、世の中を、私と同じくいつもそんな目で見ているイギリス人たちに「きみの友だちは……」という言い方をされても、一切否定しないので、ほぼ全員が、二人は男どうしのカップルだと、信じこんでいた。一人は五〇代、もう一人はまだ若くて十八ぐらいの美少年である。まったく、親子ほども年の違う……はしたない、なんてね。

ところが、ひょんなことから、わかってしまったのだ。彼らが実は、親子ほども年の違う親子だということが。その時の、私たちのバツの悪さったらなかった。それはお互いの顔を見てれば、一目瞭然。はしたないのは、私たちだった。でも、あの肥えたおっちゃんから、あんな美少年が生まれるとは、誰が想像できるだろうか。

そんなこともあるので、ヘテロ社会でも、あらゆる人を認めるとは、いうは易しだが、なかなか現実は理想どおりにはいかない。しかし、認めようという気持ちがあるだけでも、ずいぶん違う。自分もラクだし、人もラクだと思う。

そういう私は最近、余裕が出てきたせいか、ヨーロッパというヘテロ社会と、日本というホモ社会、どちらも捨て難く、今後はもっと自由に行ったり来たりしたいと思いはじめている。ということは、私はバイ（二つの）カルチャー人間てことになるのかな。

粋なひと言

日本にいるときは、興味のアンテナにひっかかりもしなかったのに、イギリスという異文化の国に住んでみて初めて、是非読んでみたい、と渇望にも近い熱意をもって手にとる本がある。

最初に私のアンテナにひっかかってきた本は、九鬼周造著の『「いき」の構造』（岩波文庫）である。異文化の中にいると、やはり日本の文化とは何か、日本人としての自分のアイデンティティとは何か、という命題に、妙に真面目にぶつかるもののようだ。

ま、日本にいるときより、入ってくる情報の量は少ないし、ヒマでもあるし、いろいろ考える時間が生まれているせいもある。

江戸の美意識である「いき」を、考えぬいた哲学者、九鬼周造その人は、一九二一年（大正十年）から一九二九年（昭和四年）までパリに留学しており、この論文が完成したのが二六年末、昭和の始まるときだったと、多田道太郎氏の解説にある。なんとこの本は、パリで書かれているのだ。

多田氏によれば、「国際的に通用することばで、独自の哲学が語られているということ」でありながら「どことなくヨーロッパ、とくにパリの文化、とりわけパリの女性の好みと対抗しようという気構えもみられる」（『「いき」の構造』解説より引用）とあって、興味深い。

では、ロンドンで、「いき」に対抗するものは何だろう、と考えてみた。そもそも「いき」は日本独特のものだから、英語でぴったりくる言葉を探すのは難しい。手元の和英辞書を見ると、smart, stylish とか chic などとある。

私が感じるこの国の「いき」は、和英辞典の訳とは、かたちもニュアンスも、ちょっと違っているけれど、「ウイット」である。いついかなる状況のもとでも、怒りや不快感をストレートにぶつけず、相手への思いやりを含んだウイットを言葉にはさんで返す。イギリス人だって、誰にでもできることではない。

だから、適度な感情の抑制（抑制しすぎても野暮だ）をしていながらも、いいたいことはきちんと、思いやりと知性とユーモアを織り込んで表現された「いき」なひと言を耳にすると、とてもうれしいし、気持ちがいい。たとえ次章の「二百年まって」で書くように、結局やりこめられることになっても、だ。

ところで、身近で出会ったこんなひと言ふた言、「いき」だなと思ったのだけど、いかがでしょう？

その一、クレームをつける。

最近混み方がひどくなってきたロンドンの地下鉄。目をどこに向けたらいいのか困ることがある。あの紳士の場合もそうだった。だって別の紳士と正面に向き合ってしまったのだから。ところが別の人のほうは、何か考え事をしていたらしく、あの紳士を見詰めたまま。ずっと見詰められているのも落ち着かないもの。

で、五分ほどたって、意を決した紳士は、もう一人の見詰めつづける紳士に、きっぱりとクレームをつけました。

"Do you love me?"

その二、ヤジをとばす。

アダルト・スクールに通っています、というと、ときどきいやらしい感じでニヤニヤする日本の人がいるけど、これは健全な市民のための講座です。あしからず。私は「楽しく歌いましょう」というコースに入っています。ミュージカル「キャッツ」のメモリーから、三〇年代のフレッド・アステアの歌まで、レパートリーはいろいろ。とにかくうまく歌うより、楽しく歌うことが大切！　といううれしいクラスで、コンサートと称して教会や老人センターにも気軽に出かけていく。

もちろんしっかりおしゃれしていくのだ。六、七〇歳代の女性が多いけれど、エメラルド・グリーンやピンクのスーツに身を包み、アクセサリーもしっかりきめて楽しそうよ。彼女たちが歌っている姿を見ていると、かわいいなと思ってしまう。

そういう時、若い男のコたちからとんできたヤジが、"Be my girl" 彼女になってよ！　あまり上品とはいえないけど、この場合は、ほのぼのと暖かくって、いい感じ。

その三、予想外の状況に遭遇したとき。

ある友人の話である。

フラットの三階に住んでいる彼女は、休日なので、部屋で気分よくまっ裸でいた。そのうち、ゴミを捨てましょうという気になり、裏庭に、どうせ誰も見ていやしないんだからと、このへんは西洋人の大胆さで、ゴミ袋をもって、まっ裸のまま、共同の裏口ドアからちょっと外に出た。

しかし、開けたままにしているはずのドアが、背後でバタンと閉まってしまったのである。開けてもらおうにも、あいにく階下の住人たちは、みんな男性である。

そこで彼女は、誰にも見られないうちに、三階までよじのぼって、開いている窓から入ればいいわ、と決意。大胆にも裸のまま、雨どいと階下の窓の桟に足と手をかけ、大股開きでよじのぼりはじめた。

ところがである。間の悪いことに、その時、階下に住む男が一人、裏庭に出てきたのである。まったく彼女が感じたバツの悪さったら……想像するほうは、笑っちゃうのだが。

ただし相手はイギリス男。一瞬くらいは、驚きと喜びで瞳がキラッ、口元はニヤリとなったにはちがいないと思うが、彼女と目が合ったときは、すでに彼は、ポーカーフェイスに戻っていた。

「やあ元気？　いい天気だね。そう思わない？」

すべての状況は把握しているにちがいないのに、型どおりのあいさつをしてくる。進退きわまって、返す言葉もない彼女に、彼はたった今気がついたように、

「おや、エクセサイズかな。しかし、裸足だとちょっと、上りにくそうだ。よかったら、靴を貸しましょうか。遠慮はいらないよ。すぐもってこられるから」

と駆け出すかまえである。

彼女は丁重にお礼をいい、

「靴はけっこう、今あなたが開けて出てきたあのドアから、裸足のまま失礼して、入ることにするわ」

私は裸はおろか、裸足でゴミを捨てに出ることすら想像もしたことがなかったが、異文化の国では、何が起こるかわからない。どんな予想外の状況に遭遇しようと、

「いき」なひと言ふた言が出るように、イギリス流（?）会話術を、ぜひ滞在中に身につけたいものだと思っている。

でも、教科書では学べそうもない。「いき」は生き方でもあるんですね。きっと。

古いチューダー建築のパブの看板。

PART 6
友情術&恋愛術

二百年まって

十六歳年下の同級生トレヴァのお父さんとも、私はお友だちである。

自称三八歳。ほんとは四六歳のお父さん、マイクは陸軍に勤めている。髪は少々薄くなっているけど、背が高くて、贅肉は全然ついていないし、トレヴァに似て、おちゃめでチャーミング。ただ今、花の独身である。

二九歳のヘレナなどは、マイクが学期末に娘の作品を見に学校を訪れたときに、上ずった声で、「ちょっとマイクっていい男じゃない。彼、独身でしょ。きゃあ、どうしよう」などと、とりとめのないことを口走っていた。

ところで先日ヘレナは、学食でランチを

食べていたとき、「ねえ、昨日私さあ、ジョン・メージャーとベッド・インした夢見ちゃった」というのだ。

トレヴァやメラニーたちは、オエーッと吐きそうな身振りをして、「ヘレナ、あなたの男の趣味って最低よ。もう、信じられない人ね。よくそんな夢見て、気持ち悪くならなかったわね」と口々にわめきだす。

ヘレナは平然として、「あら、ジョン・メージャーってけっこういい男じゃない。私好みだわ。でもなんだって、あんなにストレートにベッド・インしちゃったのかしら」と周囲の反応など意にも介していない。

ジョン・メージャーといえば、イギリス首相（当時）で保守党の党首であるわけだが、ヘレナは実はパディ・アシュダウン率いる（当時）自由民主党を支持しているのだ。昨年の選挙のときも、自由民主党に投票したのを、私は知っている。それにしても、ジョン・メージャーもまだ四〇代と若い。経済、教育、医療や福祉、どれをとっても問題山積の黄昏国ではあるけれど、いい男としてヘレナの夢に現れるというのも、首相本人がまだ墓に片足つっこんでいない証拠で、これは喜ばしいことだと私は思っている。

で、話はトレヴァのお父さん、マイクに戻る。クリスマスの翌日のボクシング・デーに、ディナーによんでもらった。

普段トレヴァは友人たちとフラット・シェアしているが、クリスマス休暇は北ロンドンのマイクのフラットで、父娘水入らずで過ごしている。お母さんと妹は別の家で暮らしている。

ディナーは、マイクが腕によりをかけて作ってくれたローストビーフと、いろんな茹で野菜がメインである。こちらの家庭にうかがったときは、たいてい芽キャベツ、ジャガイモ、インゲン、ニンジンなどの茹で野菜が鉢に一種類ずつという感じで、たっぷりと出てくる。ほんとに茹でただけなので、お皿にとって自分で塩コショウしたり、肉料理のグレービーソースをつけて食べたりする。グレービーソース以外には、あまり隠し味とかウマみとかいった微妙なものはない、素朴な料理だ。

ところが私はいつも、とてもおいしく感じて、おかわりまでしてしまう。私を招待して、ゴハンを食べさせてくれる友人たちの気持ちがうれしいのと、食卓を囲んでの会話が、いつもとても楽しいからだ。なごやかに笑い、話しながらゆったりとすすむ食事は、何よりも効果的な隠し味だと思う。

メインディッシュが済むとマイクは、今度はかいがいしく、オーブンの中で食べごろになっている、熱々デザートのアップルクヌーデルを運んできてくれる。トレヴァと私はひたすらパクつきながら、いつのまにか話題は、女性の職業と地位、そして家事の問題に移っていた。

トレヴァは勢いこんで、「イギリスの男なんて、なっちゃいないわよ」という。なぜならば「いまだに女性の職場進出をはばんでいるのは、すでに社会で職を得ている男性であり、夫やパートナーだから。男性は、女性がより高い地位につくのを嫌がり、夫だって子どもが生まれたら、自分はほとんど休暇をとらず、妻に仕事を辞めさせたり、出産・育児休暇をとらせたりしている。それは積極的に社会参加したいと思っている女性にとっての、大きなハンデである」というのが、彼女の主張。教科書どおり、現状どおり。

だけど、今のところは単に議論のための議論という感じね、と私は思う。その教科書どおりの現状を打破したいと思ったら、トレヴァがこれから、自分で決断し、行動に移していかなければならないことだからだ。その場になって、彼女がどう行動するかは、まだ「?」マークだ。いうは易しだが、そうそう簡単には現状は変われない。トレヴァががんばったら、次の世代はもう少し変わるかもしれない。

まあ、がんばることが貧乏くじを引くことになることも多い。イギリスだって、現実には女性があまりがんばらないほうが、ほどほどに幸せになれるケースは多いと私は見ている。それで本人がほんとうに幸せと思えれば、の話だが。

一方、なっちゃいない男性のひとりとして攻撃の矢面に立たされているマイクは、離婚後も専業主婦(?)を続ける元妻と、まだ学生のふたりの娘への責任から逃れるわけにはいかず、送金を続けている。もちろんそのためにも、陸軍にお勤めしてがんばってるわけだが。実のところは、自分が住んでいるフラットの家賃の支払いも、楽ではないというのが現状のようだ。

それにしてもマイクは見るからに明るい。さすが耐えることにかけては定評のあるイギリス男だからか。それとも、最近できたガールフレンド、ルイーザのおかげか。

「社会で女性の足をひっぱるのは、ほかならぬ女性だともいうよ」と彼はやんわりと反撃してくる。

「もちろんそういうこともあるでしょうよ。でも、それこそ男の作戦でしょ。女性どうしで足をひっぱりあわせようという。だって地位が上の女性にたいする男たちの嫉妬ときたら、いやらしさ丸出しじゃない」トレヴァと私は異口同音にわめく。「いやいや、僕が思うに、もしかしたら女性は、声高に主張することによって、もてる権利を失っている場合もあるかもしれないよ。過激派のフェミニストみたいに、攻撃するだけが効果的な作戦とはいえないんじゃないかな」さすがこのあたりは年の功ね。

プンプンと腹を立てるトレヴァ。私は「あなたのいってることは、わからないでもないわ。例えば、内助の功に徹しているかに見える奥さんたちが、実は亭主の首ねっこをぎゅうとつかんでるということも多々あるものね。日本でも同じだけど、夫をたてておだてて、いい気分にさせて、妻が自分の主張をいつのまにか通しているというのは、男性にも良妻ととられてるんじゃないかしら。でも悪いけど、あなたのいってることが、すでに古いわよ。だって、それは女性があくまでも家にいるという前提で、もし外でもそんなふうにしてやられたら、男性だって、余裕の発言なんかしてられないわよ」

トレヴァも一緒になって、「そうだよダディ、あなたは古い」といいはじめた。

「わかった」

ついにマイクは、ふたりに全面降参という身振りでいった。「わかった、きみたちの言い分は認めよう。確かに僕たち男性は、まだまだなっちゃいない。変わっていかなければならないと思う。しかし、少なくともキリスト教の歴史と同じくらい長く続いている男性社会の考え方だから、僕たちだって急には変われない。多少の時間は必要だ。それはわかってくれるね」

私たちはうなずく。もっともだ。

「ああよかった。僕たちいたらない男性がだね、きみたちのご希望に添うような男性となれるためには、そうだな、二百年、二百年待ってくれ」

二の句がつけないでいる私たちに、チャーミングな笑顔を向けて彼は、「さて、僕はちょっと失礼してお皿を洗ってくることにしよう。お手伝いはいらないよ。鼻歌を二つばかり、歌っているうちに終わるさ。お嬢様たちは、ラウンジでゆっくりどうぞ。ティーかコーヒーはいかが。それともお酒かな」

マイクには、まんまとしてやられた。

クジラ論争

捕鯨問題の根の深さを、事あるごとに痛感する。といっても、私の場合は政治レベルではなく、日常生活においてだけど。つきつめれば、狩猟民族と漁労民族の違いまでたどりつくんじゃないかしら。お互い、この捕鯨問題に関してはかなり感情的になってるしね。

ふだん友人たちとは、この問題には深く立ち入らないようにしていたが、先日遊びに来ていたドイツ人の友人と、正面きってのクジラ論争が始まってしまい、あまりのわからずやぶりに（お互いに）、穏やかな友情（これもあやしいが）もこれで終わりだっ、とまで頭にきたことがあった。

友人のベールントは、普段は「戦争でナ

チスがしたことを、非常に重く受けとめている。だから僕がドイツ人である以上、その責任を一生負うつもりでいる」と殊勝なことをいっているくせに、クジラ問題ではまるでとうへんぼくだ。

論争のきっかけは、ロンドンの日本人向け情報誌に描いていたのんきな「レイコ・ラビットのハーブ日記」を見せようとページをめくっていたときに、捕鯨問題の特集が目に入ってしまったことだ。写真を一目見ただけで、もう「それは捕鯨のことだろう。何といっているのか内容を説明しろよ」と論争を挑む構えである。

内容は、世界の捕鯨の歴史と実際の捕鯨数の比較、現在のクジラの生存数、そしてヨーロッパの言い分と捕鯨国である日本、ノルウェー、アイスランドの言い分を、私から見ればフェアな視点でレポートしたものである。

「やっぱり日本は、調査と偽って年間三百頭ものクジラを食ってるんだな。いったい君らは罪の意識を感じないのか」

その辺から攻めてきたか。クジラを食ったくらいで犯罪者呼ばわりされて、たまるもんか。

「はっきりいって感じないね。調査の為だけというのは、確かに嘘だと思うけど、あなたたち欧米人が捕鯨国の文化的背景も知らずに、自分たちの価値観を押しつけるのが良くないんだよ」

「今はそんなことといっている場合じゃない。クジラが絶滅の危機に瀕しているんだよ。日本人はクジラが絶滅しても、何ともないのか」

「私たちだって絶滅の危機に瀕しているものは食べませんよ、もちろん。しかし例えばミンククジラなどは、ずいぶん増えてるじゃないの。ほれ、この統計を見てごらん」

「ナンセンス。この統計は捕鯨三国が出した数字だろ。我々が統計を出せば、数字はまったく違うはずだ。汚いトリックさ、クジラを食うための。君は捕鯨国の理論に洗脳されてるよ」

「へーっ、そう。それじゃあんたの方は、欧米の偏った理論に洗脳されてるんじゃない」

「欧米の理論は偏っていない。これが正しいのだっ。この理論に従ってこそ、世界の秩序が保たれるんだ」

「ほら出た。欧米人の傲慢の典型。よく恥ずかしげもなくそんな台詞が出るよ。だいたい正義の味方みたいなことといってるけど、六〇年代半ばまでは、欧米もゴーカイに捕鯨してるんだよ。しかも単に油をとるとか、昔は女性のコルセットを作るためだけで、大部分は捨ててたんだ。日本は、肉からヒゲまで全部利用してたんだからね。日本人はこれに誇りさえ感じてるんだから。異文化も尊重してほしいよ」

「尊重する気はあるが、間違っていることを尊重するわけにはいかない。それに歴史は歴史。過去のことだ。現時点における間違いを今是正しなくてはならないのだ」

ええい、この石頭、まるでわかっとらん。

「あのね、日本人はバカじゃないのよ。クジラが絶滅の危機に瀕しているという確かな証拠があれば、種の保存のためにクジラを食べるのを止めるさ。今は昔と違って、タンパク源をクジラに頼らなくても食糧は豊富なんだし。それを、あなたたち欧米人が、上から見下すような無神経な態度でくるから、話し合いの余地もなくなるし、クジラを食って何が悪いという感情論も出るんだよ」

相手は一瞬ひるむが、

「しかし感情論では、問題は解決しない。それに無神経なのは欧米人だけじゃない。日本人だって十分無神経だぜ。君は気づいてるのか。これだけ世界的に（ヨーロッパ人のいう『世界』って、基本的には欧米だけみたい）捕鯨問題が取り沙汰されているときに、日本ではクジラ専門のレストランが繁盛しているっていうじゃないか。信じられないよ。第一クジラのような、利口でかわいい動物をだな、食うというのは野蛮だ」

ほうら出た。陳腐な論理。

「じゃあ、牛やブタはアホだし、かわいくないから食っていいっていうわけ？」

「どこからそういう荒唐無稽な発想が出てくるんだ。牛やブタは絶滅の危機に瀕していない。しかし、クジラは絶滅の……」

「おだまり、石頭のとうへんぼく。この雑誌の統計にはミンククジラの数が増えて……」

「ええい、そっちこそだまらんか、がんこもののチビ。その統計はデタラメだといってるだろ」

というようにクジラ論争は、ぐるぐる同じ輪を描くばかりで、ちっとも前に進まない。おまけに二人とも母国語ではない英語で論争しているので、怒りや意見をスムーズに表現できないことも多々あってもどかしい。

しまいには双方疲れ切って、捕鯨国と非捕鯨国で協力して統計をとり、種の保存と、文化と考えあわせて解決策を話し合うのがいいだろうという結論をとりあえず出してはみたが……。

すごいエネルギーを費やしてのこの論争が、東西の理解をちっとも深めていないことは明らかだ。だって最後にベールントは「でもレイコは、クジラを食べることが悪いことだと今でも思ってないだろう。例えば捕鯨反対のデモなんかに君が参加するとも思えないな」などと、あきらめ悪くいうんだもの。

「うん、クジラを食べたいとは思わないけど、食べることが悪いとも思ってないよ。それに捕鯨反対のデモなんか参加しない。参加するとしたら、『不必要な動物実験反対のデモに参加する」

ベールントは横目で私を睨んでいる。あ、そういえば彼は、大学で生物学を専攻しているんだった。動物実験とか解剖とも無関係とはいえない。また危ないこといっちゃったかな。私も横目で相手の反応をうかがう。ふたたび開戦か。

一呼吸おいて彼は「おなかすいたね。ゴハン食べにいこうか」と、ジャケットを手にとって立ちあがった。

東南アジアの友

語学学校に入学してすぐに友だちになったのが、台湾のナディアである。ところで、ナディアに限らず、日本と韓国を除く東南アジアの学生たちのほとんどが、西洋式のファーストネームをもっている。

不思議に思っていたので、なぜなのか理由をナディアに聞いてみた。そうしたらびっくり。みんな自分でつけた名前だというのだ。少なくとも中国系の人たちの本名は、漢字である。ところが英語を学び始めると、先生が授業のときに、各々に西洋式の名前を自分でつけさせるのだという。以来どうも彼らは、その名前をいつでもどこでも使うようになるようだ。

なんでまた、と残念に思う。中国の名前

は、音が豊かで個性的だし、漢字の組み合わせで意味を測るのも楽しいのに。借物の靴みたいな、そぐわない名前を名乗るなんて、つまらない。

香港のパトリックにも、本名は何かつめよったけど、「バカげた名前だから」と絶対に教えてくれない。

語学学校の教室でも、ある時イタリア人の女のコが、ソフィアと名乗る台湾のコに、「あなたの本名は何か」と聞いていたのを目撃した。しぶるソフィアにとうとういわせて、「思ったとおり、あなたの本名のほうが、ずっと私は好きだし、あなたらしいわ。なにもイタリア風な名前を名乗る必要ないじゃない」

まったく同感だ。なかには外国人にはとうてい発音できないから、という人もいるけど、私たちだって、完璧とはいかなくてもそれに近づけて呼ぶように努力するのに。

私の名前も、ローマ字表記からだと、なかなかレイコと素直に読んでもらえず、リーコとか、リエカ、ライコとか。一度など、南アフリカ共和国から来たドイツ系のイヴォンヌに「あなたの名前は、犬の名前だわ」といわれ、ムッとしたことがあったけど、彼女がドイツ語ふうにライカと読んだことがわかった。最後がOでもAの発音で読まれがちなのは、女性の名前がAで終わることが圧倒的に多いせいだろう。ところで犬のライカは、初めて宇宙飛行したライカ犬のことだった。それならまあ許してやってもよかろう。

それでも、正しい名前をいうと、「まあ、いい名前ね」といわれることもある。なぜ、と聞くとたいてい「今まで聞いたことがない、ユニークな名前だから」という答え。笑っちゃうけど、素直に喜んでおく。

話が名前のことにそれてしまったけれど、本題は別にある。仲良くなったナディアが、うちに遊びに来たときに、話題が日本の東南アジア侵略の話になった。

いつもひょうきんなナディアが、厳しい顔になって「日本が戦争中、東南アジアに何をしたか、あなたはどこまで知っているのか」と聞いてきた。

「概略は知っている。細かいことは知らない。でも恥ずべきことだし、二度とやってはならないと思う」と答えたが、そんな通りいっぺんの回答では、彼女の気持ちはおさまらなかった。

「日本では学校で、その日本の恥をはっきりと教えるの。どの程度教えるの」

この質問には弱い。学校では、広島・長崎への原爆投下と、原爆症に苦しむ人々のことは教わった。戦争でいかに悲惨な目に遭ったかは教えられたが、しかし東南アジアの人々にどんなむごいことをしたか、については教えられたことがまったくないからだ。

急に自分がいかに事実を知らないかに気づかされ、罪の意識が沸き起こる。

「申しわけないけど、日本の学校では、いっさい教えてくれないのよ」

ナディアの目が吊り上がる。

「じゃあ、どこで教えるの。家、それとも地域社会?」

家でも地域社会でも教わらなかった。でも、問題意識がある人は、そういう活動組織に入ったり、パンフレットを読むことができると思う。

この私の第三者的な回答に、ナディアは、ものすごく怒った。東南アジア人と同じ立場や気持ちにはなれないとしても、彼女がなぜ、何に対して怒ったのか、いった本人の私も十分に察しはついた。

日本の東南アジア侵略とそれに伴う蛮行は、許しがたいことではあっても、過去の歴史である。彼女の激怒は主に、その歴史にフタをして、反省も、次の世代に正しく伝えていくこともしない日本の姿勢に向けられているのだ。

私への怒りは、いくら学校などで、教わらないとはいえ、漠然とでも知っているならば、もっと積極的に情報を求めていくべきなのに、その努力を怠っているというところ。それに対しては、弁明の言葉はない。ひたすら、自分のいたらなさを認め、これからは知るように努力すると約束するしかない。

最後にナディアは、私にいった。「ほんとうにあなたがそういう気持ちなんだったら、今私にあやまってよ」

しばしの沈黙。もとよりノンポリの私に突然突きつけられた難題に、どう答えるか。目先ごまかすより、誠心誠意、しかし思ったことははっきりいうしかない。

「悪いけど、私はあなたにあやまらない。ただし日本が国家としてどうあなたの国にあい対していくかは、別だと思っている。私は、自分の意識不足を認め、反省もする。でも、あなたと私は、国云々というより、個人的な友だちなんだから、こういういいにくい話もしながら、友情を続けていくことが大事なんだと思う。だから、私があなたに侵略のことで、個人的にあやまる必要は、やっぱりないと思う。私があなたにあやまるとしたら、個人的にあなたを傷つけたり、約束を破ったりしたときだ」

ナディアは一応納得してくれた。でも、心からは納得していないことは、私にはわかっている。彼女は、私に日本の代表として、あやまってほしかったのだ。

東南アジアの友だちの中でも、ナディアほどはっきりいった人は、他にはいない。韓国のピヤン・スウは、「上の世代はそうかもしれないが、僕らの世代は別にこだわっちゃいないよ」といっていたし、マレーシアのピーターは、日本経済の安定を高く評価していた。しかし、ナディアみたいな若い世代もいることを無視してはならないと思う。

そして国家の問題は、個人の日常の対人関係にも直結していることを、忘れてほしくない、とも思う。だから何事もうやむやにしないで、ハッキリ態度を決めてよね。私だってやりにくいんだから。

ジャマイカ男

「ビルなんか大っきらい」

「ビルの顔なんか見たくない。くたばっちまえ」

「ビルの大バカ野郎」

写真の暗室やスタジオがある地下。すぐそばの女子トイレに入ると、こんな落書きが二つ、三つ。時々掃除の人が消しているようだが、ビルの機嫌が悪くなると、トイレの落書きも増える。

クソミソに書かれているビルとは誰か、というと、写真のワークショップの管理責任者で、自らもカメラマンの職員である。写真の講師たちも、学生も、このビルにたてついたり、嫌われたりしたら、とうていハッピーに暗室やスタジオを使用できない。気分屋でうるさ型で、六〇歳で、ジャマイカ男である。

ワークショップには、ビルを含めて三人の職員が働いているが、歴然とした年功序列がある。もちろん六〇歳のビルがボスである。続いて中国系のジョー。もっとも若いアングロサクソン系のスティーブは、一癖も二癖もある先輩職員の下で、どやされながらもけなげにがんばっている。

ところが、この気難し屋のビル、いったん仲良くなると、なかなかにユニークで味のある人間だということがわかる。気心が知れてしまえば、時に私が強情になって「でも私はこう思う」、ビルも強情になって「何をいう。僕はこの道何十年のベテランだ」という口論に近い議論になっても大丈夫。自分の間違いに気づいて私が「やっとわかった。私の間違いだ。ごめんねビル」というときには、ビルはもういたずらっぽい目に戻っていて「そう、きみはいけない学生だよ」。

そのビルは昔、苦学生だったそうだ。故郷のジャマイカでも十二、三歳からアルバイトをしていたが、建築と写真の勉強をしにロンドンに来てからは、学校が終わってから夜中まで働く毎日だったという。その頃ガールフレンドができて、それが今の奥さんだが、デートの時間を捻出するのに苦労した話も聞いた。彼の奥さんはイギリス人らしい。

　でもビルはほんとうにいけない奴のところがある。イースター休暇明けのある日、ワークショップを横切ろうとすると、ビルが腕まくりをして、隣の立体工作室のアランに何事か自慢気にしゃべっている。アランが「おいビル、ひけらかすなよ。最初から結果のわかってる勝負は、不公平だぞ」とほおを赤くしていっている。

　素通りしようとしたら、ビルにつかまった。

「レイコちょっと、ここに来て腕まくりしてごらん」

腕をまくると、ビルは自分の腕を横に並べていう。

「どうだ、まいったか、この違い」

私はまだ状況がつかめず「何、なんで私がまいったの？　ビルの腕のほうがやたら太いってこと？」

ビルはあきれていう。「まだわかんないのか、レイコは。もう、やんなるな。僕がジャマイカに里帰りして日焼けしてきたの、気がつかないのか」

「ええーっ」改めて見直したけど、よくわからないよ。いわれてみれば、ミルクチョコレート色がビターチョコレート色ぐらいには、変わったのかもしれないけど、もともと、色黒なんだもん。

要はますます黒々と日焼けした腕を、アランにみせびらかしていたのだ。これから夏期にかけて、強迫観念のように太陽にあたりたがるイギリス人たちに先んじて、日焼けしたのを自慢しているのだろうけど、アランが、不公平だというのもわかる。彼は白人なんだから、どう焼いたってかなうわけがない。まったくいけないビルだ。

そのビルは、あと五年して六五歳になったら、子どもたちも大学を終えて、すっかり独立しているはずなので、退職する。退職したら何をするの、と聞いたら、瞳をキラキラさせて、いたずらっぽく「ふふふ、遊ぶのよ、思いっきり」。

十二、三歳の頃から五十年、ずっと働いてきたから、退職したら、死ぬまで奥さんと一緒に、楽しく遊んで暮らすんだという。いいなあ。でもビルが退職したら、写真のワークショップはずいぶん静かになってしまうだろうなあ。

さてここのところ私が、写真室よりも足しげく顔を出しているのは、プリント・ワークショップ。シルク・スクリーン印刷にこりはじめたからだ。ここで指導してくれるのがシーラとロイド。特に、物静かで、いつも沈着冷静なロイドにしょっちゅう質問しにいっている。都合のいいことに、私たちの教室は、プリント・ワークショップの隣。ますますうろつくことになる。それで、ロイドとも雑談するようになった。

あまりにもビルと違うので、アフリカ出身かと思っていたら、同じジャマイカ出身と聞いて驚いた。年はずっと若くて、私とあまり違わないかもしれない。そしてロイドも純粋美術を学んでいた頃は苦学生だった。

時給が高いので、三交替のパン工場で夜中から朝にかけて働いていたそうだ。オートメイションであつあつのパンが流れてくるのを、仕分けする仕事だが、たまに手袋がやぶれたりして、熱くてとてもつかめたものではないのに、パンは次々と流れてきて、悲鳴をあげつつも仕分けを続け、息も絶え絶えに助けを呼ぶこともあった、なんて話を暇な時に聞いたりする。

十六歳違いの同級生たちに刺激されることも多いけれど、やっぱり年の近い社会人のほうが、話が合う。同年代に通じる感覚や経験といった共通点があるから、余計な説明なんかも必要なくて、ラクだ。

そのロイドと夏休み明けに、偶然ふたりとも行った、パリの話に花が咲いた。どこへ行ったか聞いたら「国立ルーバー美術館」だと彼はいう。そんな国立の大きな美術館があったとは知らなかった。知らないといったらロイドが仰天したので、よくよく聞き返したら、ガラスのピラミッドがあるルーバー美術館だという。なあんだ、ルーブルのことじゃないの。英語で発音するんだもん。

そして、ちょっと照れてユーロ・ディズニーにも行った、という。七歳の娘の希望で。その時は、プリント・ワークショップの責任者という公の顔ではなく、ちょっとお父さんの顔になった。

先生たちともこんな話ができる社会人学生って悪くないと思う。

理想の患者

「きみこそ僕の理想の『患者』だ」と、初対面のハンサムな精神科医にいわれたら、あなたはどうしますか。

その一、その意味するところを測りかねてとまどう。その二、神経を病んでいる人間に向かって、なんと非常識なと怒る。その三、恋に落ちる。

わが友アニーの答えは、その三。恋に落ちてしまったのでした。

しかし、ここで私は、とても大事なことを明らかにしておかなくてはいけないと思う。それは、精神科医のドクター・マシューが正常な人間なら、患者のアニーも正常な人間であるというところ。

日本ではまだ、精神科に行くというと精神異常者のように思われることが多いようだが、それは大きな誤解である。イギリスだって、誤解している人はけっこういるとは思うけど、誤解は誤解である。神にたいして絶対的な信仰をもつことが難しくなったと見える昨今、ある友人などはカトリックでいうざんげをしないかわりに、いろいろストレスがうっ積してくると、精神科に行ってさっぱりしてくるという。精神科をサウナ風呂がわりに使っているんじゃないかという気もするくらいで、精神科には異常ではない人も行く、異常な人も行く。ドクター・マシューに聞いたのだが、精神の病には精神異常 psychotic なもの、神経症 neurotic なものと、人格の障害 personality disorders の三つに大別される。人格の障害については別にしておいて、精神異常と神経症とはどこが違うかというと、前者は「現実との接点をなくし、自分で物事の判断ができなくなる状態」をいう。しばしば幻覚や幻聴を伴う。分裂症はその典型的な例といえる。

それに対して神経症的なものは、精神異常とは違う。もちろん幻覚はなく、日常生活での物事の判断には支障はない。神経症の原因は、一般的に不安とか疑惑にある。極度のとりこし苦労とか神経質、きちょうめんさが裏目に出たかたち、ともいえる。

ところで、なぜアニーは、ドクター・マシューの理想の患者だったのか、というと、その頃マシューは、強迫観念症 Obsessive-Compulsive Disorder（ＯＣＤ）についての論文を書いているところだったから。そして彼女の相談したいことも、まさしくＯＣＤのことだったのだ。

では強迫観念症とは何かというと、第二のグループ、神経症に属する症状で、例えば、汚染恐怖から過剰に手を洗う習慣、戸締りや火の元を何度も点検しないと落ち着かない、自分の行動パターンの手順が狂うと、最初からやりなおしたい衝動を押えるのが難しい、また過度のとりこし苦労をして、最悪の結果になった場合のことを心配すること、などいろいろ、らしい。たぶん、大多数の人は程度の差こそあれ、この中のひとつぐらいは思い当たるフシがあるのではないだろうか。

症状が軽ければ、病気ともいえないくらいで、ＯＣＤなどというれっきとした病名があって、それを研究している人までいるとは思いつかないくらいだが、この症状も重くなれば、周囲の人には気づかれないにしても、自覚があるだけに、本人はつらいものだ。イギリスには、ＯＣＤで悩む人々の助け合いのグループもある。

そういう私は十代のころ、手洗い病だった。授業が始まるとトイレに行きたくなるのも、人が自分を笑っていると思ってしまうのも、汚染恐怖と、劣等感からくる過度の不安に原因があったと、今なら余裕で分析できる。しかし当時は、そんなことには自分以外の誰も気づいてくれないから、自覚があるからたぶん精神異常ではないとは思ったが、どうやって自分で自分を治せるのか暗中模索するしかなかった。しかしそれは、大学に入って、ネズミも出てくる寮に住むようになり、いい友だちを得て、自分の神経質とか不安を忘れるくらい他のことにかまけているうちに、コロッと治ってしまった。

ところが二十代も後半になって、今度は手洗い病の変形の手袋病なるものが出てきた。きっかけは、台所のシンクにカビが生えるほどの無精者だった私が、急に家事を始め、またたくまに洗剤負けしてしまったこと。赤いブツブツとひび割れで、無残な手になり、鉛筆を握るのもつらい状態になってしまった。そして病院ですすめられたのが、白い布手袋とゴム手袋の使用。

もともと、その気《け》のある私だから、汚染恐怖に洗剤恐怖が重なって、一時は一ダースぐらいの手袋を使いわけていた。台所用、掃除用が三種類、会社での事務用の布、水仕事用のゴムと軍手、庭仕事用、家での昼用と寝る時用、それに防寒用。

私が『不思議の国のアリス』の白ウサギに心惹かれていたのも、白い手袋と関係があるのかもしれない。作者のルイス・キャロルにも手袋の強迫観念があって、手袋なしには外出できなかったという。だから、この白ウサギは、キャロルの強迫観念そのものだったのだ。

私の手袋病は、洗剤負けが治ると同時に治った。その後今にいたるまで、特にそれらしい症状は出ていない。

しかし、アニーが「実は……」と話し始めた精神科訪問と、このＯＣＤの話を聞いて、「あら、それ私の病のことじゃない」と、まるでなつかしい旧友の消息をきいたような気がしてしまった。

以来、ＯＣＤの話に花が咲くようになった。アニーは根がまじめなので、けっこうとりこし苦労をしてしまうタイプである。こういうことは病気というより、その人の性質、傾向なのだから、友だちにしゃべるだけでも、かなり気が楽になると思う。

一方、精神科医は、カウンセリングによってＯＣＤとうまくつきあい、だんだんと症状を軽くしていく方法を話し合う。この症状が現れるのには、個人によって引き金になることがあるから、それが見つかれば、もっと治しやすくなる。

その後ＯＣＤの研究をするマシューの記事が雑誌に紹介され、「患者」と称する人々が殺到して、応対しきれないほどだったという。おかげで研究論文のほうは、予定よりも早く仕上がってしまったとか。

ところで、なぜ私までがドクター・マシューの近況に詳しいのか、というと、このふたりが、その後めでたく恋人どうしになったから、だという気がしませんか……？

吟遊詩人の恋

初めてひとりで外国生活する時に不可欠なのは、テーマ（目的）と友だちの二つだと思う。この内のどちらかが欠けても、ハッピーには生活できない。

心の通じ合う現地人の友だちをもつことはもちろんだが、一人でも二人でも、悩みや不満、もちろんうれしいことも何でも母国語で話せる友だちがいると、とてもいいと思う。自分のホームグラウンドではない外国での生活は、慣れない頃は特に肩に力が入るものだし、ちょっとした行き違いがストレスを生んだりする。

滞在は長くても、外国生活に適応できず、悩みを話せる友だちがいなくて、解決法も見いだせず、精神を病むに至る人々もいるのだから、見逃せない問題である。だから私にとって友だちは心のおクスリ、なのだ。

そのおクスリの中での特効薬的存在が、パリのよしこさん、である。誕生日が二日違いということもあって、幼なじみだと思われているのだが、実は知り合ったのは、私がロンドンに移ってからで、まだ三年ぐらい。実際に会ったのも、四、五回。日数にするともう少し長い。というのも、彼女が出張でロンドンに来れば、うちに泊まるし、私がパリに行ったときは彼女のところに泊めてもらうからだ。

私はすごく落ち込んだとき、どうしても見たい展覧会があるときなど、安いチケットを買ってパリまで、思いきって飛んでいく。年に一回ぐらいは。

去年の九月には、またも落ち込むことがあり、フラットの裁判問題もはっきりせず、そのうちバスルームもお湯が出なくなって、ストレスがうっ積してきた。そこで、昔買った折り畳みのソファベッドを、五〇ポンドで売り払い、七五ポンドの航空券を買って、「お風呂入れてね」と飛んでしまった。

ポンピドー・センターで夏中やっていたマニフェステという全館あげての、現代アートの展示を見たいと三カ月ぐらい思いつづけていた、という伏線もあった。

パリのよしこさんは、ある国際機関で働く情報通信政策の専門家で、郊外はブローニュのアパルトマンに住んでいる。じゅうたんと壁がオフホワイト、家具が黒というおしゃれなインテリアで、京劇の仮面とか自作のニューヨークの街角の写真や都市計画の図面などが、さりげなく壁に飾られていて、う、やるなという感じである。

このように何をとっても、苦学生の私との共通点はなさそうだが、話しても話しても、つきない話題と共通の悩みがある。感受性が似ていたということ、それに同世代で、外国生活をしていることで、分け合う部分が大きいのだと思う。それに何よりも、私はよしこさんの人間性がとても好きだし尊敬できる部分がたくさんあるのだ。

私たちを「ちょっとあなたと気が合いそうな人がいるのよ。会ってみたら」と、半ば強引に、引き合わせてくれたのが、共通の友人のみえこさん。南フランスで、ドイツ人の夫のウベさんとミストラルという宿屋さんをやっている。悩みや困ったことがあると、やっぱり電話する人なのだが、いつも明快なひと言が頼もしい。

彼らはフランスにいるので、そうしょっちゅう電話したり、会ったりもできない。私だって、いつも落ち込んでいるわけではないし、ロンドンにも、現地人と日本人で、なんでも話せる友人たちがいるので、私の心のおクスリはとても充実している。

ところでよしこさんとはファックス通信もしていて、お互いの精神状態と近況は、いつもつかんでいる。それが先日、突然アワを食った声で電話が入った。どうしたのかと思ったら、どうしよう、例の吟遊詩人がとうとうパリに来ることになった、というのだ。

吟遊詩人《トルバドール》というのは中世の頃、南フランスでオック語という土地の言葉で、宮廷の美しい（と噂される）貴婦人を恋愛詩にして歌ってまわったというが、それと同じことが起こってしまったのだ。

またも仕掛人は、南仏のウベ＆みえこコンビ。かねてからよしこさんの人柄に好感をもっていたウベさんが、故郷の北ドイツで、独身の友人に、パリのよしこなる女性の話をしたのがきっかけである。純朴（たぶん）、かつポスト・モダニズムの時代にふさわしい意識的な進化をとげているその男性は、国際社会で活躍する、強くてやさしいよしこさんに、理想の女性像をしかと見てしまい、話だけで恋に落ちて吟遊詩人とあいなったのである。

まずウベ＆みえこコンビに宛てて、よしこさんに転送してほしいという、ラブレターが続けて二通届く。ドイツ語のそれは、とても観念的すぎて、日本語にできないほど哲学してるラブレターらしい。ウベさんは、その手紙に友人の人柄のすべてが表れているると絶賛しているというが。

次に、彼は電話をかけ、理想の貴婦人と話す機会を得た。現代は便利である。その電話の翌日、仕事から戻った彼女は、留守電に彼のメッセージを見つけた。

「昨日の電話での会話に、僕は深い感動をおぼえました。あなたの声と話し方は、僕の理想通りでした。あなたとの会話のチャンスをもてたこの喜びを深くかみしめ、また今日新たにし、留守電に僕のこの新たなる感動のメッセージを残すものでありま す」

この彼は建築家なのだが、スイスに仕事ができ、愛車で行くことにしたので、是非パリに立ち寄って一目彼女に会っていきたい、という気になってしまった。

中世の吟遊詩人なら、理想の貴婦人になど、会うチャンスもまずなく平安のうちに一生を終わったと思う。例外的に会えることになって、ベネツィア行きの船か何かに乗ったはいいが、貴婦人に会う前に、過度の期待と不安で悶絶死してしまった詩人もいたほどだ。

よしこさんが気乗りしないのは、ほとんど実態のない理由で恋に落ち、勝手に想像を膨らませるのは、向こうの自由だが、会うとなると話が違う。めいっぱいの理想と思い込みで来られたら、荷が重いなんてもんじゃない、というのが理由である。

そうよね、もし私が同じ立場だったら（誰が物好きにも苦学生の噂をきいて、恋におちるか……という現実的な疑問はおいといて）、その彼がこっちに向かっていると思うだけで恐怖だわ。いっそここに着く前に、悶絶死してくれえ、と祈る気持ちになるよ、といったのだが、何の縁もゆかりもない人間から、間接的にしろ悶絶死してくれ、とまでいわれている一途なF氏が気の毒ではある。しかし、吟遊詩人の恋の話で、いちばん楽しむのは、観客である第三者と昔から決まってるのだ。許されい。

さて、この話の続き、いったいどうなるのだろう。やっぱりね、となるか、いやひょっとして！マークが出るか、観客の私は、楽しみに待っているのだ。思い出すと一日一回は、微笑んでしまい、健康にもいいみたい。今のところは、私の健康のみにいいのかもしれないが。でもどうかFさん、悶絶死などしないで、パリまで行ってね。

さあて、次はどうなるか。続きを聞くのが待ち遠しい、この頃の私なのです。

ところでこんな私は、よしこさんの心のおクスリになってるのかしら。

ピーター・ラビット

「いやあ、湖水地方はすごいね。日本人だらけだったよ」

開口一番、こんな感想を述べたのはジャーナリストのTさん、ちょうど湖水地方の取材から帰ったばかりだった。Tさんは以前ロンドンのある日本語雑誌の編集長をしていて、私が初めてもらった仕事というのも、「湖水地方にピーター・ラビットを訪ねて」という記事だった。当時はこれが私のたった一つの出し物でもあった。

湖水地方といえば、ピーター・ラビットというくらいで、ピーターの人気や、私も宝物にしている美しい本も出版され、ずいぶん知名度が上がった。

特に、ピーター・ラビットの作者ビアト

リクス・ポターの家がそのままの形で公開されているニア・ソーリー村は、人気の的。ナショナル・トラスト（非営利の環境保護団体）のおかげで、百年近く前にポターがスケッチして絵本に使ったのと、まるで同じ景色が残っているのだから、見てみたくなるのも不思議はない。私もそうだった。

しかし、である。古いポターの記念館が、このところ人、人、人、それも多くの日本人が、バーゲン会場のようにひしめいているという現実を、私は無視することができない。しかも、別の人からは、観光バスで大挙してやってきた中高年の日本人グループが、記念館ヒル・トップの前で、「このヒル・トップっちゃあ何だね」「さあ」「まあ、とにかく入って、写真でも撮っていくか」といっていたという話を聞いている。

少なくとも、ピーターの話を読んで、好きだと思った人だけにしてもらいたい。人気があるというだけで、安易に予定に組み込む旅行社にも腹が立つ。

私も、実はやはり記念館の混み方を見て、約三年近く前から、ニア・ソーリー村にはいっても、記念館には入るのをやめている。どの小部屋にも人がひしめいていて、おはなしの一節を思い出しながらゆっくり鑑賞するのは無理だし、古い家の床がギシ

ポターがピーター・ラビットの印税で手に入れた家と農場ヒル・トップの秋。いまは記念館になっている。

ギシいっているのもわかった。このままでは、この家壊れてしまう。だったらあなたが来るのをやめなさい、と自分で思って、それ以来やめたというわけだ。

しかし、何回か足を運んでいるうちに、村のお茶屋のモリーと知り合いになって、夏を除く季節には手紙のやりとりをしているので、たまには会いにいきたくなる。夏はモリーは忙しい。村への観光客がたくさん、お茶屋さんにやってくるからだ。モリーは今でもお菓子を毎日、何種類も自分で焼いている。

今でも、というのは、モリーが一九〇三年生まれで今年九〇歳になるからだ。それに、彼女はこのところずっとシングルズという病気を患っていて、あちこち痛むのをおしての、お茶屋さんである。

好きだからというのと、やはり大きな使命感があると思う。モリーは一九一一年からずっとここに住み、第一次大戦後から、お母さんを手伝って、ここでパン屋さんをやっている。三七年頃からは、女主人となって、この石造りの家で、手作りのお菓子とお茶で人々をもてなしてきた。

今はマウンテン・バイクも盛んだが、昔はサイクリストたちが、よくこの村を腹ペコで通りかかり、モリーのお菓子やパンで生き返った。ご主人も、このお茶屋に寄っ

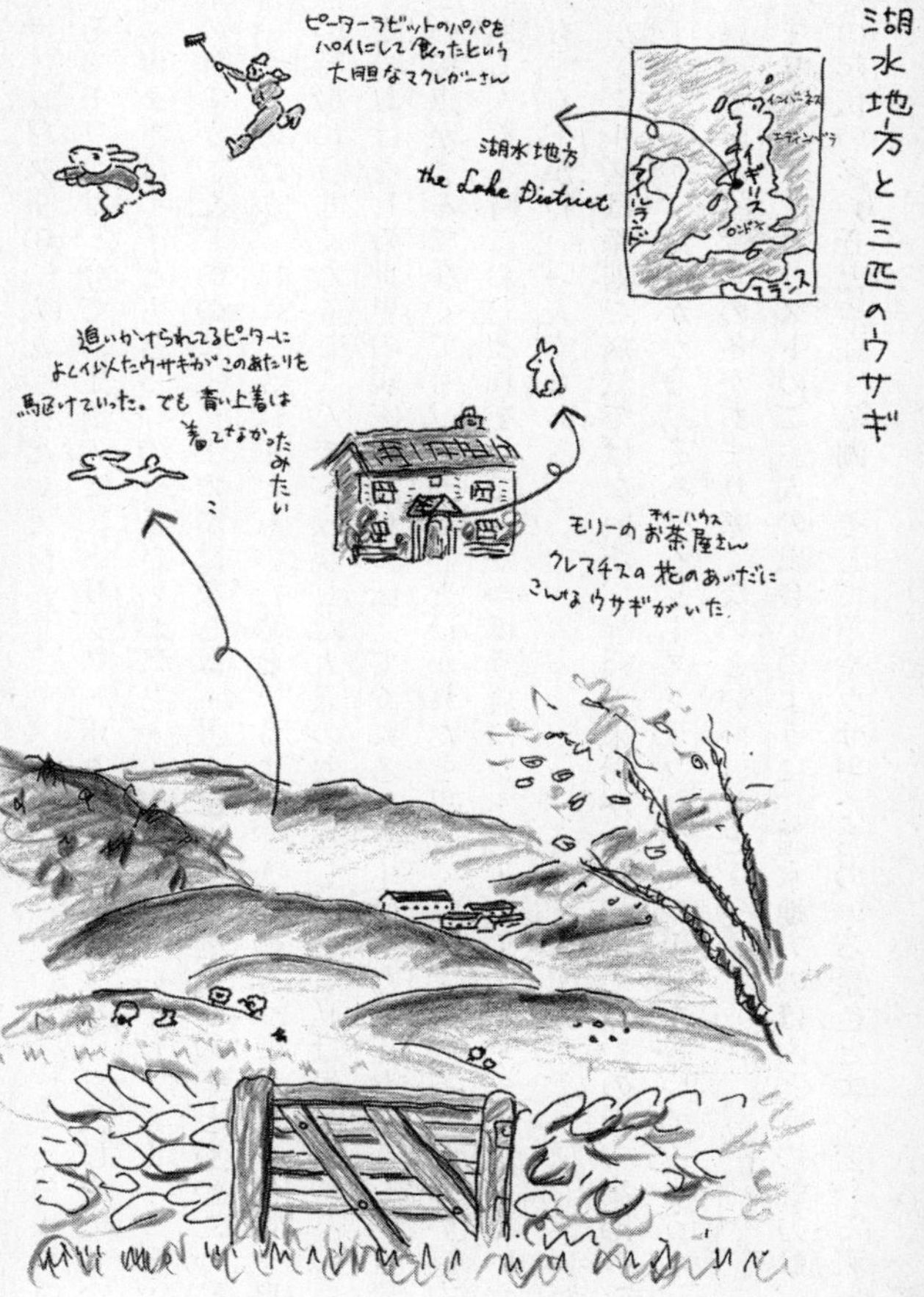
湖水地方と三匹のウサギ
ピーターラビットのパパを
パイにして食ったという
大胆なマクレガーさん
湖水地方
the Lake District
インバーネス
エディンバラ
イギリス
ロンドン
アイルランド
フランス
追いかけられてるピーターに
よく似たウサギがこのあたりを
駆けていった。でも青い上着は
着てなかったみたい
モリーのお茶屋《ティーハウス》さん
クレマチスの花のあいだに
こんなウサギがいた

たサイクリストの一人だったという。

そのモリーは、今では生前のビアトリクス・ポターを知る数少ない一人になっている。ポターは、子どもぎらいのうるさいおばちゃんだったらしい。ピーター・ラビットの作者が、だ。あのピーターのおはなしは、最初は昔の家庭教師の子どものために書いたものだが、ほんとうは子どものためというより、人間のもつ普遍性を動物や自然の特徴にうまくたくしこんで、表現した大人のおはなしだと、私は思う。

そのおはなしの世界の現実感を私に伝えてくれるモリーは、たとえおはなしの世界との接点がまるでなくても、きっと心をひかれたと思うくらい、芯のある暖かい魅力のある人だ。時におしゃれをして、かっぽう着にシーム入りのストッキングをはいたりもする、かわいい人でもある。

シングルズは深刻な病気ではないが、神経の末端がものすごく痛むので、高齢のモリーのことが、気にかかる。そろそろシーズンオフなので、手紙を書いてみようか、と思っている。今年の冬があまり寒くないといいけれど。

モリーとサイクリストのご主人の出会いのように、湖水地方のほんとうの魅力は、その起伏の多い丘と点在する湖、そして羊やウサギたちのいる景色とよく変わる天気

湖水地方。真っ赤なナナカマドの実の向こうに
見える丘と湖と空。

を静かにゆっくり楽しむことにある、と私は思う。

で、その景色の中を歩き回ることが今の夢である。大事なウオーキング・シューズは湖水地方の靴メーカー、Kシューズ社製のものだ。今のところは、卒業制作と卒論、それにアルバイトに時間がとられ、なかなか実現しそうにないけれど、その時に備えてウオーキング・シューズにワックスをかけて、磨いておかなくちゃ。

私のピーター・ラビットは、みやげ物屋のキャラクター商品の中にではなくて、湖水地方の自然と人々の中にいる。

スシ・ディナー

「そうだ、またスシ・ディナーをやろうよ。シェフは、レイコ、コーディネーターはアニー、材料代と場所、皿洗いは僕、ということでどう？」

強迫観念症についてのエッセイを書いたあと、もう一度確認させてもらうために、アニーに頼んでドクター・マシューに話をきく機会をつくってもらった。そこでお昼時、フェニックス＆ファーキン・パブで待ち合わせをして、ビールを飲みながら、ちょっとした講義を受けることができた。

しかし一段落するやいなや、マシューが早速スシ・ディナーの提案をした。彼は二日に一回ぐらいはスシが食べたくなるほどのスシ狂いである。日本人を見れば、反射的にスシと思ってしまうのも不思議はない。しかしこれほど生の魚とワサビと醤油に魅せられている外国人も珍しい。マシューの熱狂を見て、生の魚を食べたこともなかったアニーまで、最初からまったく抵抗なく刺身を食べてしまったほどだ。恋の力は恐ろしい。

てんぷらとかスキヤキは誰でも抵抗なく食べるけど、生の魚とか、海草にいたっては、まだまだそんなものを食べるという発想についていけない人が多い。海苔を見ただけで身震いする人もいる。トレヴァもそうだけど、中華街で買えるアンパンは大好物なのだ。

一方では、日本人と結婚している外国人で、相当なつわものもいて、私などは、納豆ゴハンが好物というヨーロッパ人に、納豆は慣れれば大変おいしく、毎日でも食べたくなるアイテムであることを、教えられた。私はくさった豆を食べるという発想に、いまだについていけない。が、単にくさった豆と、納豆菌で作られた納豆が違うというのも、教えられたし、チーズが食べられて納豆がだめというのはヘンだとも指摘された。私は日本人だが、九州人である。しかし、食習慣からきている食わずぎらいを、外国人に指摘される時代になってしまったとはね。

さて、スシ狂いのドクター・マシューに、何がきっかけでそんなにスシが好きになったのかと聞いてみた。そしたら、その答えが秀逸だった。

「何がっていわれても、うーん。たまたま食べる機会があって、何ていうか、そう恋におちるときの感じ、理屈抜きのあの感じでスシがこんなに好きになってしまったんだよ」

そこまでスシを絶賛されて、私が悪い気持ちがするはずがない。アニーまでが、なぜか、ほおを染めて喜んでいた。ははは。

そこでシェフの私は、アニーと相談して、日本食品店でスシネタのサケ、マグロ、スズキなどを数種類予約し、当日はその店で待ち合わせをした。そしてビンビンにきくワサビと米、イナリズシの素まで、ちょっと高いかしらね、でも大丈夫よ、マシューが払うんだから、などといいながら買いこんだ。

今回はカリフォルニア米を使ったので、ネバリがきいていて、スシを握るのもラクだ。日本では家でちらし寿司とか手巻き寿司は作っても、にぎり寿司は作ったことがなかったのに、ロンドンに来て、スシを握るのはこれで三回目だ。

最初は別のところで、パサパサのロングライスを使ったので、形にならず苦労した。次の、マシューのスシ・ディナーでイタリアの丸いプディングライスを使って、少しはよかったが、それでもまだポロポロした。三度目はカリフォルニア米で、大成功。

にぎりは下準備が比較的ラクなので、シェフの私は米をとぐ前から、すでに白ワインのグラスを片手に飲み始めていた。居心地のいい屋根裏部屋の小さなキッチンが、ちょっとしたラウンジにもなって、三人ともレストランで食事をする前にバーでアペリティフといった雰囲気である。

それはよかったが、作った合わせ酢の味をみるときに、ありゃワイン飲み過ぎて、よく味がわからない。味覚は計量に勝ると思って、いつも適当にまぜるので、一瞬こまったが、味覚がだめなら勘があるさ。

卵焼きもできたし、テーブルもセットされているし、あとはゴハンが炊きあがるまで、鍋と時計から目を離さないでいればＯＫ。またワインをぐいぐい飲んで、しゃべる。しゃべっているうちにゴハンができて、合わせ酢をして、またしゃべりながら、にぎり寿司にしていく。アニーは最初やけにやせたイナリ寿司を作っていたが、だんだんうまくなってきた。

さて彩りも美しくできた三皿のスシ、ゴハン三合分を、さらにワインを飲みながら三人で平らげた。大食いのマシューは、この後、まだお腹が空いていたら自分が焼きソバを作ると張り切っていたが、さすがに満足したらしい。私たちももう焼きソバは入らないほどお腹がいっぱいになったので、マシューは、お皿をさげ、コーヒーとお茶、そしてデザートを用意するために立ち上がった。しかし、運ばれてきたデザートのトライフル・チョコまでがにぎり寿司の形をしていたのには、アニーも私も大いに笑ってしまった。

こんな幸せそうなカップル、プラス友人一名のスシ・ディナーの図ではあるが、ドクター・マシューは来年早々アメリカ大陸へ行くことになっている。仕事などの事情で、ロンドンに住むことが将来あるかどうかわからない状況らしい。一方ロンドン生まれロンドン育ちで、私より少し年下のアニーは、一生続けていける自分の仕事をきちんと確立しておきたいとがんばって、きっかけをつかみかけているところなのである。長い目で見たら、そう簡単にはついていけないという状況。マシューも攻撃的なフェミニストはきらいだが、女性も仕事をもつべきだ、という考えである。

だから「オレについてこい」—「は、はい」という単純明快な展開には、簡単にはなれない。社会が国際化し、女性も男性も、昔からのステレオタイプな役割分担に従って、必ずしも生きなくてよくなったのは、価値や生き方の多様化という面から、とてもいいことだと思う。

しかし、個人と個人が対等につきあっていくと、男女の場合、すぐに答えの出ないこういう難問に当たってしまうこともある。これは避けられない問題だ。でも、いつでもどこかに解決策はあるはずだ。それに彼らの問題は、私の問題にもなりうる。だから、二人とも自分を生かし、相手を生かしての解決策を追及していくように、あきらめないでがんばってね、とアニーが経過の話をするたびに励ます言葉にもつい力が入ってしまう。

世界のいろんなところに友だちがいるのは、とてもいいことだ。心強いし、再会できる可能性がいつもあるのも楽しい。それも友だちだから。でもパートナーや恋人となるとそうはいかない。距離はかなり致命的である。パートナーとは、人生の時間と空間を共有する存在だと思うからだ。亭主元気で留守がいい、というのは、子どもとお金を確保し、ちゃんと結婚してますという、社会に対する免罪符はあっても、愛と人生を共有するという意識がない言葉だと思う。

ある時、共通の趣味も多い、いい友人のひとりだと思っていた人から「パーティとか公の場では、妻はちょっと田舎に帰っているといっているけど、実はもう二年も、離婚を前提として別居しているんだ。彼女はいい仕事を見つけて、すっかり落ち着いたから、もうロンドンには帰ってきたくないといっている。それで弁護士をたてて、離婚の調停中なんだ」と、告白された。

私は思わず「そんな、早まってはいけない。離婚ならいつでもできるんだから。どうして離婚しないでいい方法をまず話し合わないの」といってしまった。できることなら、離婚なんかしないほうがいいに決まっているもの。

彼は力なく笑って「いや、もう無理だよ。二年の別居は十分に長く寂しかった。その間、僕らはどんどん離れていってしまったんだ。人生をまったく共有していないんだよ。無駄な努力は、もうよそうと思う。その間にも僕は着実に老いていっているのに気づいた。僕は人生を共有できるパートナーがほしい。だから離婚する。そうしたら……」

そうか、イギリス人はやっぱりそういう発想なのか。しかし老いる、といっても彼は四〇そこそこだ。しかし、私は居心地が悪くなった。どうもまずいことになった、と思った。その先はいってほしくなかったので、必死に話題を変えた。

私だって人生を共有するパートナーがいてほしいと思う。でも彼とは共有したくない。友人としては興味があっても、男性としては興味ないもの。異性の友人は、友情の中に、ちょっと危ないエッセンスを一滴というのが、いちばんほどよいと思う。しかしもしかしたら、という人と、一方では、まかりまちがっても愛は生まれない、という人とがあるのは仕方がない。それがお互いに、食い違うことがあるから、男女の友情は難しいものだ。

結局、しばらくして私は、友人を一人失うことになってしまった。いろいろ共通の趣味があったのにとか、私のことは、パートナー候補としてなら見られるけど友人では不足とでもいうの、などと心の中で毒づいたりしたけど、それでも強引に友人として会い続けるには、ちょっと相手がひ弱だった。しかし彼も、なぜかスシが好物だったなあ。

スシといえば、もう一つ。隣の部屋にまだヴェロニカが住んでいた頃、小さなスシ・パーティを私の部屋で催した。といっても、どうがんばっても四人が限度の狭い部屋だから、お客様は三人。ヴェロニカも、日本料理が食べてみたいといっていたので、椅子を二つもって来てもらった。卒論が追い込みの時期だった。彼女がひたむきに努力していたのは、卒業したら彼の待つイスラエルへ飛んでいく、という目標があったことも大きいと思う。

ヴェロニカはイギリスとレバノンのハーフで、大学入学まではずっとベルギーで育った。フランス語が母国語なので、ロンドンに来てから二年間は、英語ももうひとつだし、それ以上にメンタリティが違うので、友だちが全然できなかったという。でもお父さんはイギリス人だから、英語の基礎は十分あったようで、今は現地人と変わりなくしゃべれる。

そんな彼女はロンドンで大学に入って、アラビア語をまず専攻した。自分のルーツに興味をもって、という。難しすぎたのと、就職のために不利というので途中で法律専攻に変わったのだが、イスラエルを旅行したときに出会った青年と恋をして、一年後には卒業して、絶対に戻ってくると約束したのだという。

彼女は恋をしている輝きがいっぱいで、いい話ね、という私に、「あなたもそう思ってくれる。うれしいわ。うん、私がんばって、卒論書き上げて、イスラエルに飛んでいくわ」と大きな深いブルーの瞳をキラキラさせて、微笑みかけた。

食欲のほうも絶大なものがあって、用意したちらし寿司とカレーコロッケを、次々におかわりして食べてくれた。この時は近所のマーケットで材料を買ったので、ちらし寿司の具は、アナゴやシイタケ、カンピョウも入ってなくて、代わりにスモークサーモン、マッシュルームなどが登場した。あとの材料はほぼ同じ。デザートは白玉だんごにゆであずきである。白玉は白玉粉があったので、こねて作った。もちろん緑茶を出す。

これももう思い出話になってしまった。

ヴェロニカは今もロンドンにいる。でもどこにいるかは知らない。とっくに卒業して八月になっても、彼女は隣の部屋に住んでいた。久しぶりに玄関で出会ったとき、彼女の表情が前と違っているのに驚いた。前のような快活さと自信が見えない。建物の裁判沙汰は続いていて、「ここにはもういられないから出ていく」という。聞くとロンドンにはいるという。それ以上は聞けなかった。

彼女のお母さんの国レバノンと、恋人の国イスラエルは国境を接したお隣さんである。しかし、敵国どうしである。イスラエルをイギリス人として旅行していたとき、人々はとても親切で友好的だった。ところが、つい母親がレバノン出身というと、人々の態度がコロッと変わるのだそうだ。途端によそよそしくなるのが悲しかった、といっていた。そんな中で出会ったイスラエルの青年と恋をし、愛は戦争なんか乗り越えるわよね、それに何人だって私は私だもの、と夢にあふれていたヴェロニカは、もういない。

一年の間に彼に別の恋人ができたのか、周囲に、敵国の血が混じっている恋人を呼ぶことを反対されたのか、あるいは彼女が考えを変えたのか、私にはわからない。

今度はレバノン料理を作るからよぶわね、という約束は今も果されていない。私はまだ同じ部屋に住んでいるけど、ヴェロニカからはハガキ一通来ていない。

日本を離れてから、いろんな国のいろんな人たちと、人生の時間と空間を偶発的に、あるいは偶発と見える必然によって、共有したり、離れたりを繰り返している。立体の座標軸にそれらの点を集め、線をつないでいったら、私の四年間はどんなふうに見えるのだろう、と思ったりすることもある。

友人がいっていたように、その間も私は老いていっているには違いない。たくさんの出会いに続く、かなりの数の別れのひとつひとつに、いちいち必要以上に感傷的になっていたら、こんな暮らしはできない。それでも、時間と空間を穏やかに長く共有できる環境と人がいたら、と思うこともたびたびある。でも老いていく寂しさを共有するためのパートナーなら、いらないよ。

クリスマス休暇が終わって学校へ行ったら、ちょうど私と同じくらいの身長のメラニーが、「ちょっとレイコ、ここに来て私の横に並んでみて」という。「あなた前より背が高く見える。まさか、まだ身長伸びてる、わけないわよね」ってわけだ。

"Why not?" 私は急にいたずらっぽい気持ちになった。「身長伸びたんだよ、きっと。だって私、いま成長期だもの」

あとがき

降りつづいた雨がようやくあがって、今朝は青空がひろがっている。窓に向いてワープロを打っているので、目の前いっぱいに庭が見える。日ごとに樹々は緑を増し、白やピンクのいろんな種類のサクラ、黄色いハリエニシダが満開である。

庭にはまた、よく太ったハトをはじめクロウタドリ、ミソサザイ、アオガラ、それに派手な羽をまとったグリーン・ウッドペッカーまでが遊びにくる。あ、リスが一匹、芝生を横切っていった。

この家で、違法居住者騒ぎがもちあがって、ちょうど一年。知らないうちに被告のひとりにされ、敗訴してすでに九カ月だが、ねばって新しい持ち主と契約を交わして、ホッとしたのが、やっと先週のことである。

この一年は、盛りだくさんな年だった。美術学校を一年飛び級したので、突如として卒論と制作が始まり、ほとんど同時にこのエッセイを書きすすめることになったからだ。

一方で毎夕のアルバイトがあり、時に単発の仕事もしていた。それでも生活費と学費の両方はとてもまかなえない。四年余でマンションの頭金から、養老保険まで全部解約して、きれいさっぱり使ってしまった。

最後の養老保険を解約しようとしたとき、心配性の父はいった「それだけはやめなさい。おまえはもう嫁に行くアテはないんだから（フン、自信たっぷりに断定しないでよね）、それだけは老後のためにとっておけ」

「私のお金と老後だ。ほっといてくれ」憎まれ口をたたいたが、父の心配もわからないではない。なぜならば、家系には隔世遺伝で私のような人間が出ているからだ。祖母は、父たちに内緒で家を売り払い、その金をもって姿をくらまし、戻ってきたときには一文なしだった。その二代前は旅籠屋だったが、バクチで家をまるごとスッてしまい、やはり一文なしになったと聞く。私は、自分に賭けたわけだから、中ではまともなほうではないだろうか。

ひと月前から毎夕のアルバイトを辞めて、朝から晩まで学校ざんまいのぜいたくな生活をしている。卒業制作と卒論の追い込みの時期に、解放感にひたってうれしがっている人間も珍しいが、こんな浮上感は、日本を発って五年目にして、初めてのことである。なんたってあきずに落ち込みつづけ、肩にもやたらと力が入っていたのだから。

六月に卒業した後、どうやってゴハンを食べていくか、どこに住むか、まだ見えてはいない。それをまた楽しんでもいる。

ところで私の座右の銘といえば、人は愛だけでは生きられない、ゴハンを食べなくちゃね、である。もちろん自力で、ということだ。

しかし座右の銘とは裏はらに、この四年間に、本当にたくさんの友人・知人たちに、ゴハンをごちそうになってきた。日本でイギリスで、ヨーロッパのあちこちで。彼らの愛と友情のゴハンなしには、現在の私の心身の健康はなかったと思う。心からの感謝を伝えたい。

そして落ち込んでいるときも、ハイなときも、変わらぬ穏やかさで励ましてくださったアイランズの赤岩州五さん、どうもありがとうございました。

一九九三年四月　　　　　　　　　　　著者

（この作品『ひとり暮らしのロンドン』は、一九九三年六月、晶文社から『ロンドンひとり暮らし術』として四六判で刊行されたものに加筆し、改題したものです）

一〇〇字書評

切り取り線

本書の購買動機（新聞名か雑誌名か、あるいは○をつけてください）

＿＿＿新聞の広告を見て	雑誌の広告を見て	書店で見かけて	知人のすすめで

住所	
なまえ	
年齢	
職業	

あなたにお願い

この本をお読みになって、どんな感想をお持ちでしょうか。右の「一〇〇字書評」を私までいただけたらありがたく存じます。今後の企画の参考にさせていただきます。

あなたの「一〇〇字書評」は新聞・雑誌などを通じて紹介させていただくことがあります。そして、その場合は、お礼として、特製図書カードを差しあげます。

右の原稿用紙に書評をお書きのうえ、このページを切りとり、左記へお送りください。電子メールでもけっこうです。

〒101―8701　東京都千代田区神田神保町三―六―五
九段尚学ビル　祥伝社　☎（三二六五）二〇八〇
祥伝社黄金文庫　編集長　小川　純
E-mail : ohgon@shodensha.co.jp

祥伝社黄金文庫

祥伝社黄金文庫　創刊のことば

「小さくとも輝く知性」――祥伝社黄金文庫はいつの時代にあっても、きらりと光る個性を主張していきます。

真に人間的な価値とは何か、を求めるノン・ブックシリーズの子どもとしてスタートした祥伝社文庫ノンフィクションは、創刊15年を機に、祥伝社黄金文庫として新たな出発をいたします。「豊かで深い知恵と勇気」「大いなる人生の楽しみ」を追求するのが新シリーズの目的です。小さい身なりでも堂々と前進していきます。

黄金文庫をご愛読いただき、ご意見ご希望を編集部までお寄せくださいますよう、お願いいたします。

平成12年（2000年）2月1日　　祥伝社黄金文庫　編集部

ひとり暮《ぐ》らしのロンドン

平成12年4月20日　初版第1刷発行
平成12年7月25日　　　第2刷発行

著　者　岩《いわ》野《の》礼《れい》子《こ》
発行者　渡辺起知夫
発行所　祥《しょう》伝《でん》社《しゃ》
東京都千代田区神田神保町3-6-5
九段尚学ビル　〒101-8701
☎03（3265）2081（販売）
☎03（3265）2080（編集）
印刷所　萩原印刷
製本所　豊文社

万一、落丁・乱丁がありました場合は、お取りかえします。　Printed in Japan
ISBN4-396-31217-2　C0136

祥伝社のホームページ・http://www.shodensha.co.jp/